美國小額法庭 DIY

Do It Yourself Guide

American Small Claim Court

自序

自從瀛舟出版社去年底出版筆者的《美國生活實用法律手冊》以來，我收到不少讀者的來函及電話。許多讀者除鼓勵及尋求法律援助外，大部份都有餘興未盡的感覺，都希望筆者能再接再厲，繼續推出類似的法律書籍。

記得一位友人說過，與其每餐都給魚來幫助一個人，倒不如教會他如何釣魚。我所從事的法律業務是以出庭辯護及訴訟為主，一般民眾都不會涉及到。不過，我們身邊每天都會遇到一些小麻煩，或一些不公平的事件，聘請律師要花大筆錢，而且不一定有效。今年初到臺灣辦案時，到書店瀏覽一下，發現DIY自助式(Do It Yourself)書籍很實用。在瀛舟出版社趙慧娟社長，辛敏涓總經理的鼓勵下，答應抽空撰寫美國法律方面的 DIY 書籍。

在 DIY 系列中我首先選擇小額法庭來寫，主要是因為在加州，五千元以下的糾紛都在小額法庭解決，而小額法庭不允許聘請律師代表，因而，許多新移民由於語言及文化背景的原因，都無法使用小額法庭來替自己討回公道，或者不知道如何應付小額法庭的訴訟。本書主要以加州為例，但是綜合了全美五十個州及哥倫比亞特區不同的小額法庭相關資料，並使用加州法院的小額法庭常用表格作為樣本。大部份州的小額法庭的程序都大同小

異，不過，由於每個州的法例都有所不同，因而，在進入小額法庭前，最好向當地的法院書記官及當地的律師討論。本書可作為你使用小額法庭的參考書籍，但並不構成律師與客戶的關係。由於每州的法例經常會更改，筆者也力圖隨時提供最新的法例，讀者可以到筆者的網站查閱最新的法律動態，網址是：WWW. DENGLAW.COM

　　許多朋友都覺得筆者在出庭、處理客戶事務以及參與社區活動等繁忙生活中能抽空在短時間內撰寫書籍，簡直是個超人。其實，筆者並非超人，而這些法律書籍的出版也非本人一個人的心血，而是筆者身邊親友的友誼結晶。除瀛舟出版社各位同仁的合力支持外，筆者身邊家人及各位好友都出謀獻策，替我分憂解愁，讓我專心完稿。筆者特別感謝筆者多年的政界朋友給我的鼓勵，他們包括：加州參議員 Dr. Gloria Romero、眾議員趙美心、蒙市市長劉達強，市議員伍國慶和 Sharon Martinez、美國首位華裔女市長陳李琬若、商務部助理副部長董繼玲、教育部助理副部長張曼君、加州稅務委員江俊輝等，以及執法界朋友給我的支持，他們包括：「神探」李昌鈺、洛杉磯縣警局局長 Lee Baca 及夫人成明萃、洛杉磯市警局指揮官 Paul Kim 及夫人 Kylin、聖蓋博市警局局長 David Lawton 及其夫人 Fanny、洛杉磯地方檢察長 Steven Cooley、洛杉磯高等法院法官 John Martinez 等。筆者曾為記者，在轉行任律師後，以前同在新聞線上工作的老同事依舊支持筆者，本人由衷感激，尤其要感謝以下媒體界的前輩及好友：《世界日報》總經理劉之綱與經理高同連、臺灣《民生報》總編緝郭俊良、洛杉磯《茶餘飯後》節目主持人卓蕾、新聞主播關曉芬與高光勃、《天下衛視》王傳揚、《臺灣日報》江啓光與章紹曾、《國際日報》王艾

倫與孫衛赤、《星島日報》何國禮，張迎治，楊潮明，陳春生，
作家劉於蓉等，以及多年來一直在幕後替筆者打氣的好友：華興
保險公司張國興、知名製作人李玉沖、企業家游信對、深圳聯誼
會名譽會長祝希娟，溫捷，洪深，華人工商公司高海榮，陳麗
媛，許清惠 (Amigo)，李金壇，吳吉村，張嘉萍，孫競賢、鴻
圖招牌關中枋、Joyce Studio 的朱昭明等。當然，十分感謝
筆者的美國律師合作夥伴：刑事律師 Montie Reynolds、John
Robertson 與 Jason Cohn、商業訴訟律師 Steve
Wasserman、Edwin Hausmann 及梁貴德 (Chris Leong) 等
對筆者的大力支持，讓我放心地撰寫此書，並提供寶貴的意見。
此外， 特別要感謝多才多藝的張嘉萍及楊玲玲所提出的插圖及
文字整理，沒有她們的幫忙，這本書難以與讀者見面。

鄧洪

鄧洪律師
二零零三年三月二十八日
於美國洛杉磯

目 錄

自序   3

第一章   小額法庭概要   **17**

第一節   何謂小額法庭？   18

第二節   原告步驟清單   19

第三節   被告步驟清單   21

第四節   小額法庭常用術語   23

第二章   是否眞的要告？   **31**

第一節   訴訟利弊   32

1.1   花小錢討公道   32

1.2   勝訴未必贏   34

第二節   是否有理由告對方？   36

2.1   毀約 (Breach of Contract)   36

2.2   故意或疏忽行為造成的人體傷害或財產損失   38

一、疏忽行為 (Negligence)   38

二、故意傷害行為 (Intentional Acts)。   39

三、產品責任 (Product Liability)。   39

四、產品或服務保證 (Warranty)   40

五、專業疏忽 (Professional Malpractice)。   41

六、公害 (Public Nuisance)。   42

第三節　是否有損失？　　　　　　　　　　42

　　3.1　可以告多少錢？　　　　　　　　　43

　　3.2　如何計算自己的損失？　　　　　　44

　　　　一、毀約的案件　　　　　　　　　45

　　　　二、貸款案件　　　　　　　　　　46

　　　　三、支票跳票　　　　　　　　　　46

　　　　四、財物被損壞　　　　　　　　　47

　　　　五、人體傷害案件　　　　　　　　48

第四節　公平裁決(Equitable Relief)　　　　49

第五節　訴訟時效期　　　　　　　　　　　51

　　5.1　是否在時效期內提出訴訟？　　　　51

　　5.2　如何計算時效期？　　　　　　　　52

第六節　訴訟前和解　　　　　　　　　　　53

　　6.1　和解方式　　　　　　　　　　　　53

　　6.2　如何寫索賠信？　　　　　　　　　54

　　6.3　如何在訴訟前和解？　　　　　　　55

　　6.4　達成和解後該如何處理？　　　　　56

第三章　誰可以告及可以告誰？　　　　　59

第一節　誰可以告？　　　　　　　　　　　60

　　1.1　原告該使用什麼名義來告？　　　　60

　　1.2　是否可以請律師代表？　　　　　　62

　　1.3　追債公司是否可以在小額法庭提出訴訟？　　63

第二節　可以告誰？　　　　　　　　　　　　　　63

　　2.1　對個人進行提出訴訟　　　　　　　　63

　　2.2　對兩個或以上的人提出訴訟　　　　　64

　　2.3　對私人生意提出訴訟　　　　　　　　64

　　2.4　對合夥生意提出訴訟　　　　　　　　66

　　2.5　對有限公司或責任有限公司提出訴訟　66

第三節　對政府部門提出訴訟　　　　　　　　67

第四章　到何處告？　　　　　　　　　　　69

第一節　對方在外州時　　　　　　　　　　　70

第二節　對外州的公司提出訴訟　　　　　　　71

第三節　對在本州的被告提出訴訟　　　　　　71

第五章　如何在小額法庭提出訴訟？　　　75

第一節　法庭的訴訟費用 (Filing Fee)　　　　76

　　1.1　法院規費　　　　　　　　　　　　　76

　　1.2　訴訟傳送費用 (Process Service Fee)　76

第二節　法庭表格　　　　　　　　　　　　　77

　　2.1　表格內容　　　　　　　　　　　　　77

　　2.2　法庭開庭的日期安排　　　　　　　　78

第三節　訴狀的傳送　　　　　　　　　　　　79

　　3.1　為何要告知對方？　　　　　　　　　79

　　3.2　要告知誰？　　　　　　　　　　　　80

3.3　如何傳送訴狀及告票？　　　　　　　　80

　　　一、對個人提出訴訟　　　　　　　　　80

　　　二、對公司被告傳送訴狀及告票　　　　83

第六章　　被告的應訴之策　　　　　　　**85**

第一節　收到訴狀及告票的回應　　　　　　86

第二節　避免缺席裁決　　　　　　　　　　87

第三節　訴狀及告票傳送有技術問題，該怎麼辦？　89

第四節　如果被告認為有辯護理由　　　　　90

第五節　被告沒有理由為自己辯護　　　　　91

第六節　以其治人之道，反治其人　　　　　91

第七節　和原告當庭對質　　　　　　　　　92

第七章　　當庭對質　　　　　　　　　　**93**

第一節　出庭前準備　　　　　　　　　　　95

　1.1　小額法庭上的翻譯　　　　　　　　95

　1.2　小額法庭提供的法律諮詢服務　　　95

　1.3　是否可以有律師代表？　　　　　　96

　1.4　法院的地點和開庭時間　　　　　　97

第二節　法院的組織結構　　　　　　　　　97

第三節　案件的審理程序　　　　　　　　99

　　3.1　原告陳述時　　　　　　　　　100

　　3.2　被告陳述時　　　　　　　　　100

　　3.3　法庭上的禮節：　　　　　　　101

第四節　善於利用證人　　　　　　　　102

　　4.1　證人的種類　　　　　　　　　102

　　4.2　證人的傳呼　　　　　　　　　104

　　4.3　證人傳票的傳送　　　　　　　105

第五節　傳呼文件　　　　　　　　　　106

第六節　書面證據及其它證據　　　　　107

第八章　　法官的裁決　　　　　　　　109

第一節　缺席裁決(Default Judgment)　111

第二節　公平裁決(Equitable Relief)　112

第三節　債務人的共同責任　　　　　　113

第四節　分期償還債務　　　　　　　　113

第五節　通過法院轉交債務　　　　　　114

第六節　債務還清後的結案手續　　　　114

　　6.1　做為債權人　　　　　　　　　114

　　6.2　做為債務人　　　　　　　　　115

第九章　　上訴　　　　　　　　　　　117

第十章　如何執行裁決？　　121

第一節　何時可以執行裁決？　　122

第二節　如何執行法院裁決？　　122

　　2.1　房地產產權置留狀 (Property Lien)　　123

　　2.2　扣除薪資　　124

　　2.3　銀行帳戶　　125

第三節　裁決有效期　　126

第十一章　常見糾紛處理方法　　127

第一節　汽車修理糾紛案件　　127

第二節　購買新車的糾紛案件　　129

第三節　購買二手車的糾紛　　132

　　3.1　向二手車經銷商買車　　132

　　3.2　從私人手中購買二手車　　133

第四節　債務的糾紛案件　　134

　　4.1　做為債權人　　134

　　4.2　作為債務人時　　137

附錄：　141

一、小額法庭常用表格　　141

附件 1　索賠信樣本　　142

附件 2　棄權書樣本　　143

表格 1　原告訴訟狀　　144

表格 2 生意假名聲明 146

表格 3 告票送達證明 148

表格 4 延期開庭申請 150

表格 5 被告反告訟狀和對原告的通知 154

表格 6 動議通知及聲明 156

表格 7 更改或取消法院裁決申請狀 158

表格 8 撤消裁決動議通知書 160

表格 9 文件傳票之聲明 162

表格 10 民事傳票 164

表格 11 撤案申請 166

表格 12 法院裁決證明 168

表格 13 法院裁決通知 170

表格 14 上訴申請 172

表格 15 直接向法院付款申請 174

表格 16 分期支付裁決申請書 178

表格 17 裁決債務人的財產聲明 182

表格 18 執行令 186

表格 19 提供財產證明文件及個人財產檢審會申請 190

表格 20 裁決完成證明 192

二、美國各州小額法庭的法規   **195**

1. 阿拉巴馬州　ALABAMA   195
2. 阿拉斯加州　ALASKA   196
3. 亞利桑那州　ARIZONA   198
4. 阿肯色州　ARKANSAS   199
5. 加州　CALIFORNIA   200
6. 科羅拉多州　COLORADO   202
7. 康乃狄克州　CONNECTICUT   204
8. 德拉瓦州　DELAWARE   205
9. 哥倫比亞特區　DISTRICT OF COLUMBIA   206
10. 佛羅里達州　FLORIDA   207
11. 喬治亞州　GEORGIA   209
12. 夏威夷州　HAWAII   210
13. 愛達荷州　IDAHO   211
14. 伊利諾州　ILLINOIS   212
15. 印第安那州　INDIANA   213
16. 愛阿華州　IOWA   215
17. 堪薩斯州　KANSAS   216
18. 肯塔基州　KENTUCKY   217
19. 路易西安那州　LOUISIANA   219
20. 緬因州　MAINE   220
21. 馬里蘭州　MARYLAND   221

22. 麻薩諸賽州　MASSACHUSETTS　　　　　　　222

23. 密西根州　MICHIGAN　　　　　　　　　　223

24. 明尼蘇達州　MINNESOTA　　　　　　　　224

25. 密西西比州　MISSISSIPPI　　　　　　　226

26. 米蘇里州　MISSOURI　　　　　　　　　227

27. 蒙坦拿州　MONTANA　　　　　　　　　　228

28. 内布拉斯加州　NEBRASKA　　　　　　　229

29. 内華達州　NEVADA　　　　　　　　　　231

30. 新漢普夏州　NEW HAMPSHIRE　　　　　232

31. 新澤西州　NEW JERSEY　　　　　　　　233

32. 新墨西哥州　NEW MEXICO　　　　　　　234

33. 紐約州　NEW YORK　　　　　　　　　　235

34. 北卡羅萊納州　NORTH CAROLINA　　　237

35. 北達科塔州　NORTH DAKOTA　　　　　238

36. 俄亥俄州　OHIO　　　　　　　　　　　239

37. 奧克拉荷馬州　OKLAHOMA　　　　　　240

38. 奧勒岡州　OREGON　　　　　　　　　　242

39. 賓夕凡尼亞州　PENNSYLVANIA　　　　243

40. 羅德島州　RHODE ISLAND　　　　　　245

41. 南卡羅萊納州　SOUTH CAROLINA　　　246

42. 南達科塔州　SOUTH DAKOTA　　　　　247

43. 田納西州　TENNESSEE　　　　　　　　248

44. 德克薩斯州　TEXAS　　　　　　　　　　249

45. 猶他州　UTAH　　　　　　　　　　　　251

46. 佛蒙特州　VERMONT　　　　　　　　　252

47. 維吉尼亞州　VIRGINIA　　　　　　　　253

48. 華盛頓州　WASHINGTON　　　　　　　254

49. 西維吉尼亞州　WEST VIRGINIA　　　　255

50. 威斯康辛州　WISCONSIN　　　　　　　257

51. 懷俄明州　WYOMING　　　　　　　　258

第一章　小額法庭概要

案例：

　　剛從中國大陸來美的陸先生，由於不懂英語，便決定先在華人密集的洛杉磯落腳。由於手中並沒有很多錢，陸先生無力單獨租公寓。他從華文分類廣告中找到一家分租的房間。房東每個月收$300的租金，但是他必須先付$600的保證金。因而，他將自己省下的$900交給了房東。

　　沒想到還住不到一個星期，他在外州的親友幫他找到一份餐館的工作。外州的餐館包吃包住。為了生計，他決定搬離洛杉磯。他和房東商量，但是房東堅持不退任何錢。

　　剛來美國的陸先生請教各方朋友，都覺得房東這樣做不妥。但是要找律師來討回保證金，律師都覺得數額太少。他自認為自己有理，而四處求助無門。為此，他決定想方法與房東再度談判，將錢拿回來。在離洛前的晚上，他喝了些啤酒，剛好房東也在家。房東仍堅持不退錢。陸先生一氣之下將手中的酒瓶打破，並用破酒瓶指著房東說，如果現在不將錢退還給我的話，我就給你好看。

　　房東的太太在旁看著，驚慌不已，趕緊跑上樓去報警。幾分鐘後，警察趕來，不懂英文的陸先生馬上被警察逮捕，並被起訴以致命武器攻擊他人及勒索二項罪名。

　　陸先生由於對美國法律的不熟悉，就這樣從有理變無理，

從原告成為被告。其實，如果陸先生知道「小額法庭」(Small Claim Court) 的存在，他並非求助無門，完全可以透過合法的手法將定金討回來。

第一節 何謂小額法庭？

「小額法庭」是美國司法系統中最基本的機構，也是美國民眾最常使用的法庭。它們是屬於地方司法系統的一部份，由普通法官，聘用法官或義務法官來審理，其裁決也和普通法庭一樣，都具有法律效力。

小額法庭可以說是最簡易的法庭，所涉及的數額也屬「小額」，巨額的案件則交由普通民事法庭來審理。究竟哪些案件屬於小額或哪些屬於巨額則由當地的州法來規定。

小額法庭所受理的案件大都是與民眾生活息息相關的小額金錢案件。例如，上述案例所說的陸先生討回房租保證金案件；他人損壞你的財物而拒絕賠償；鄰居的小孩將你的玻璃打破而不賠錢修理；他人借你的錢而不還等。

小額法庭還受理民眾生活中與商家經常遇到的問題。例如，汽車修理廠沒有將汽車修理好；商店的貨物損壞而商家不退錢等等。

此外，民眾在生活中可能遇到一些人體傷害的案件，也可以利用小額法庭來討回公道。例如，你的汽車被他人撞，而對方拒付修車費用；你的小孩被鄰居的狗咬傷而鄰居拒付醫藥費

等等。

　　使用過小額法庭的民眾都會有同感，使用小額法庭並不難，並且可以快速地替自己討回公道。此外，如果被他人告上小額法庭，也不用怕，只要瞭解自己的權利及法庭的程序，問題依然可以圓滿解決。

　　華裔新移民使用小額法庭的機會不多，主要是因為對小額法庭的認識不深，不瞭解具體的程序，同時生怕在庭上要講英語，再加上新移民都不願意打官司，他們害怕打官司會影響到移民入籍。其實，在小額法庭中的民事官司，無論勝負都不會影響到移民入籍申請。

　　下述是原告及被告使用小額法庭的步驟清單，本書將逐一解釋具體的運作方式。

第二節　原告步驟清單

第一步：確定是否提出訴訟。

　　1.1 確定你的案件是否仍在訴訟時效期；

　　1.2 計算出訴訟賠償金數額是多少，是否能在小額法庭提出訴訟。因為每個州都有不同的最高限額，有時訴訟數額太高，小額法庭不能接受；

　　1.3 確定自己告對方的理由及法律根據；

　　1.4 曾否向對方寄發索賠信，要求對方作出賠償？

　　1.5 曾否在訴訟之前和對方協商和解？

1.6 確定對方是否有金錢或財產來作出賠償；

1.7 從自己的時間及精力來考量是否值得去告。

第二步：準備去小額法庭告

2.1 熟悉小額法庭的程序及表格，本書可作參考；

2.2 確定去何處法庭提出訴訟；

2.3 如果沒有去過小額法庭，可事先到法庭旁聽他人的案件；

2.4 找出對方的正確姓名；

2.5 確定自己想要的開庭時間，應將向對方遞送訴狀所需的時間考慮在內；

2.6 收集證據及與證人聯絡；

2.7 準備填寫**原告訴訟狀** (參閱第一號表格)；

2.8 再度與對方聯絡，爭取訴前和解；

2.9 向法院遞交訴狀並支付規費；

2.10 如果你是代表公司來訴訟，應向法院提供**生意假名聲明** (參閱第二號表格)；

2.11 安排將訴狀及告票送給對方；

2.12 確定法院收到**告票送達證明** (參閱第三號表格)。

第三步：準備小額法庭開庭

3.1 按照時間順序，理清案件的來龍去脈；

3.2 準備一份案件概要；

3.3 針對對方可能提供的辯護理由作反攻證據的準

備。

第四步：當庭對質

4.1 如果對方願意和解，應儘量庭外和解；

4.2 按照法庭程序提供自己的陳述及證人證據。

第五步：法庭裁決後

5.1 獲取一份**法院裁決通知**(參閱第十三號表格)；

5.2 如果因故未如期出庭，儘快向法院遞交**更改或取消法院裁決**(參閱第七號表格)，要求法庭再給一次開庭的機會；

5.3 如果對方反告且獲勝，確定是否要上訴，如要上訴，應在三十天內向法庭遞交**申請上訴的通知**(參閱第十四號表格)；

5.4 如果勝訴，開始展開執行裁決行動；

5.5 收到對方賠償後，向法庭遞交裁決**裁決完成證明**(參閱第二十號表格)。

第三節 被告步驟清單

第一步：收到**原告訴訟狀**(參閱第一號表格)後

1.1 研究分析是否值得上法庭與原告爭辯；

1.2 考慮是否有可能自己或透過第三者與對方進行和

解；

1.3 確定能否因為原告訴訟程序的過失而打敗對方；

1.4 確定你是否有法律理由根據來替自己辯護；

1.5 確定你的房屋屋主保險或汽車保險，或商業責任保險是否會包括所涉及案件的風險；

1.6 確定你是否有理由反告對方；

1.7 如果你決定反告對方，必須儘快向法庭遞交**被告的反告訴狀**(參閱第五號表格)，將反告狀送到對方手上，並且向法庭遞交送達證明。

第二步：開庭前

2.1 收集有利的證據；

2.2 傳呼有利的證人——**民事傳票**(參閱第十號表格)及證據——**文件傳票之聲明**(參閱第九號表格)；

2.3 準備一份自己的辯護書；

2.4 再度與對方聯絡，爭取庭外和解。

第三步：準備開庭

3.1 按照時間順序，整理案件的來龍去脈；

3.2 針對原告的理由，準備反駁的證據及理由。

第四步：當庭對質

4.1 如有可能，在開庭前爭取達成和解；

4.2 依照法庭的程序，提供自己的證據及證人。

第五步：法庭裁決後

5.1 獲取一份**法院裁決通知**(參閱第十三號表格)；

5.2 如果因故未如期出庭，儘快向法院遞交**更改或取消法院裁決申請狀**(參閱第七號表格)，要求法庭再給一次開庭的機會；

5.3 如果原告獲勝，你要確定是否要上訴，如要上訴，應在三十天內向法庭遞交**申請上訴的通知**(參閱第十四號表格)；

5.4 如果你反告勝訴，開始展開執行裁決行動；

5.5 收到對方賠償後，向法庭遞交**裁決完成證明**(參閱第二十號表格)。

第四節 小額法庭常用術語

提出訴訟階段

Party：訴訟雙方。包括原告和被告。

Plaintiff：原告。主動提出訴訟一方。

Claim of Plaintiff：原告訴狀。即原告向法院提出訴訟的理由。

Defendant：被告。必須應付原告訴狀的一方。

Claim of Defendant, Counterclaim：被告對原告提出的反訴。被告可向法院提出反訴，並向法院遞交反

訴的理由。

Civil Code and Code of Civil Procedure：民事法規及民事法規程序。由於小額法庭的案件屬於民事案件，往往涉及到金錢財物的數額及賠償，審理時必須遵守民法審理程序。

Cause of Action：訴訟法律依據。任何訴訟案件都必須要有理由，這些理由，如毀約，專業失誤等，必須是有當地州政府的法律依據而產生的。

Ordinance：地方法規。 經過地方政府立法人員通過的法律。美國法律規定，地方政府同樣有權立法，如果地方法律和州或聯邦法律有衝突，州法律或聯邦法律有效。 聯邦及州政府也立法，這類法例英文爲 Statute。

Statute of Limitation：訴訟時效期。 任何一個案件，必須在一定的時間內提出訴訟，如果超過時效期，將失去訴訟權利。不同種類案件有不同的時效期，同一種類的案件在不同的州也有不同的時效期，需特別注意。

Venue：審理地方。爲了儘量避免一些地方法庭的本位主義，祖護當地居民，在某些情況下，原告要選擇比較公正的地方提出訴訟。如果提出訴訟的地方不當，案件可能被轉庭到正確的地方；法官也可能先撤消該案，要求原告到正確的地方重新提出訴訟。

Jurisdiction：管轄權。法庭都有管轄權才能審理案件，

管轄權包括兩類權利，一是法院因為事故或毀約行為在當地發生而產生的案件管轄權 (Subject Jurisdiction)，二是因為被告在法院管轄地區居住，工作或做生意，而法院對被告有個人管轄權 (Personal Jurisdiction)。在案件及個人管轄權都具備的情況下，法庭才有權利審理該案。

Mediation：調解。這是一種最常用的訴訟前和解方式。調解員不一定是法院工作人員或律師，往往透過與案件無關的第三者進行協商，讓原被告雙方都可以接受和解的條件，在庭外達成某些協議。

Arbitration：仲裁。也是一種調解的方法，比調解更為正式一些，仲裁員一般都是律師或退休法官。仲裁分為兩類，一類有約束力的仲裁，即雙方都同意仲裁官的裁決為最終的裁決，雙方都不再上訴；第二類是沒有約束力的仲裁，仲裁官的裁決可以作為雙方參考，但是任何一方不接受的話，該案仍會按照訴訟程序繼續進行。

Unlawful Detainer：非法滯留。在房東和房客案件中，房客逾期沒有繳納租金，房東可以向法院申請「無理滯留令」，將不交租的房客驅逐出去。

Replevin：財產償還。物件原來的主人向法院提出訴訟，要求對方將不應佔有物件者歸還給原來的主人。

Process Server：傳票送達人。在被告向法庭提出訴訟後，法庭要將訴狀送到被告的手上，通知被告已被訴

訟。訴狀傳票送達人可以是法庭庭警、縣警察，也可以是法院許可的與本案無關的成年人。

審理階段

> **Calendar**：法院審案時間表。每個案子的排期，審理的時間安排。
>
> **Formal Court**：正式普通法庭。審理小額法庭以外的民事案件。
>
> **Transfer**：轉移法庭。將案件由小額法庭轉移到普通民事法院，並非每個案子都可以轉庭，法庭對轉庭有具體的規定。
>
> **Judge/Magistrate**：法官。由選民投票選出或州長任命，由於小額法庭大部份都沒有設陪審團審理，法官是最終裁決人。
>
> **Commissioner**：聘用法官。法院聘用的法官，具有同樣的權利審理和裁決小額訴訟案件。
>
> **Judge Pro Tem**：臨時法官。由義務律師擔任的臨時法官，必須在原告及被告雙方書面同意下才可以審理小額法庭案件。一旦雙方同意，臨時法官和普通法官一樣，可以對整個案件作出裁決。
>
> **Clerk**：書記官。他們都是法官的助理，幫助安排案件的審理次序和程序，對案件的裁決做記錄。
>
> **Bailiff**：庭警。幫助維持法庭的次序，如果有人不服從法官的命令，庭警有權驅逐或逮捕此人。

Continuance：案件延期審理。不是「繼續」的意思，如果任何一方準備不足或有意外事件而需要延期，可以請求法官延期審理。

Stipulation：雙方協定。雙方對某些事實達成共同的協定。

Subpoena：證人傳票。可以向法院申請，透過法院發出證人傳票，要求證人出庭作證。

Subpoena Duces Tecum：證據傳票。可以向法院提出申請，請求法院開出證據傳票，要求文件擁有人提供案件需要的證據文件。例如要求銀行提供對案件有關的存款證明；要求電話公司提出電話帳單記錄等。

Opening Statement：開庭陳述。原告及被告雙方的開場白，簡明扼要介紹自己的案情及請求。

Direct Examination：直接陳述。原告或被告將自己的證據及證人和盤托出。

Cross Examination：交叉盤問。在對方陳述後，另一方可以提出盤問。

Closing Argument：結案辯解。原告及被告雙方的結束辯詞，雙方借此來說服法官為何要判自己勝訴。

Submission：接受陳詞。法官有時聽完雙方陳述及辯解後，並不馬上當庭宣佈其裁決，而是稍候一段時間再作出判決。

Abstract of Judgment：判決書，或書記官出具的官方文件。證明你在小額法庭已經獲勝。你可以拿此判決

書到當地的縣管理登記處，登記對於欠債人的房屋財產進行抵押。

Judgment / Verdict：裁決。法官作出的決定。

Default Judgment：缺席裁決。被告在收到法院傳票後，沒有作出任何回應，或沒有按規定時間出庭，法庭可作出缺席裁決，判定出庭一方自動勝訴。

Equitable Relief：公平裁決。小額法庭的法官有權對案件做出除金錢以外的公平裁決。公平裁決包括以下幾個方面：

一、Rescission **(取消合約)**：如果對方以欺詐手法騙取合約，或一方有強迫行為，或有隱瞞實情，法官可以依據公平原則取消合約。

二、Restitution **(退還財物)**：如果法官認為被告不當地擁有他人的財物，法官可以要求被告將不當擁有的財物退還，以補償受害人的損失。

三、Reformation **(更換合約)**：如果法官認為簽約一方誤會另一方的意思，而簽署的合約內容並沒有反映出雙方原來簽約的意願，法官可以修正合約的內容以正確反映雙方的意圖。

四、Specific Performance **(強制執行)**：如果合約所涉及的物品十分獨特，市場上再也找不到別的東西替代，法官可以作出強制執行的判決，要求被告將此獨特物品出售或歸還給原

告結束或推翻原來的合約。

Trial De Novo：不服裁決動議。被告對小額法庭的判決不服上訴，要求法官撤銷其裁決。

Motion to Vacate a Judgment：撤銷判決的動議。被告因爲未出庭而被法庭缺席裁決，被告可以提出該動議要求撤銷缺席裁決，而重新開庭審理此案。

執行裁決階段

Claim of Exception：豁免狀。按照美國聯邦法和州法的規定，裁決中的債務人可以向法院要求保留其財物的一部分，這些財物不在執行裁決範圍內。

Conditional Judgment：條件性的裁決。法官給予的公平裁決，包括要求債務人在一定時間限制內賠償對方的損失，否則法院將採取公平裁決進行強制性執行。

Dismissal：撤消案件。原告可以主動要求撤銷訴訟，原告可以提出書面要求，撤回訴訟；如果被告反訴原告，原告和被告必須雙方書面同意才能撤銷此案。如果原告沒有按照規定時間出庭，法庭可能會撤銷案件。有些案件在撤案後可以在時效期內再次提出訴訟(Dismissed without Prejudice)；有些情況下，撤案後不可再訴(Dismissed With Prejudice)。

Writ of Execution：執行令狀。如果債務人沒有按照法庭的判決償還債務，勝方可以要求法庭的判決執行書，開始進行收債的行動。

Creditor：債權人。法官裁決勝訴者。

Debtor：債務人。法官裁定敗訴者。

Appeal：上訴。許多小額法庭的案件不能上訴。有些州只允許被告上訴，有些州對於上訴理由有嚴格規定，但上訴理由是在所依賴的法律有誤或法官解釋法律不當，不能以事實不符爲上訴理由。許多州要求上訴時要繳付保證金，保證在敗訴後有錢賠給勝訴方。

Lien：債權人對債務人房地產產或其他財產的抵押留置權。債權人在債務人拒絕賠款後，必須首先取得法院的判決書，然後在債務人所擁有的房產所在縣辦公室登記，取得對債務人房產等的留置權。在債務人出售其財產時，都必須解決抵押留置權才能出售。

Stay of Enforcement：凍結執行或暫緩執行。可能因爲破產或同時有刑事案件進行等特殊情況，可以暫緩執行小額法院的裁決。

Wage Garnishment：勝訴的債權人可以要求法官在債務人工資中扣除一定的數額做爲對債務的部分償還。

Satisfaction of Judgment：判決圓滿執行書。債權人在債務人償還法院的裁決後，必須向法院提供這份證明，證明敗方已按照判決書規定，完成該做的事情，而將整個案件劃上句點。

第二章　是否真的要告？

案例：

　　離婚不久的葉小姐，準備自立而開始找工作。經教會的朋友介紹，她加入了一家傳銷公司工作行列。這家公司美名是傳銷公司，其實是一家老鼠會，利用發展人頭來賺錢。他們銷售的化妝品並非名牌產品，但是價格比外面高出十多倍。傳銷人員必須每個月都進$500的貨，如果拉入新的會員，介紹人還可以每個月從其下線會員的業績中獲取到百分之十的傭金。

　　一個多月後，葉小姐發現這些化妝品根本沒法推銷出去，但是公司依然每月從她的信用卡中扣除$500的貨品供應費用，主管不斷地向她施加壓力，要求她拉更多的朋友入會。但是她發覺這樣做會害到朋友，而想退出這公司。

　　殊不知傳銷公司不放過，因為葉小姐當初入會時簽過合約，合約期為一年。當葉小姐叫自己的信用卡公司止付時，傳銷公司揚言將到法庭告葉小姐毀約。葉小姐也很氣，因為傳銷公司並非正當的市場傳銷公司，其貨品也是三流的質量，自己的會員費也花了一千多元，而除了幾箱推銷不出去的化妝品外，她沒有得到任何收穫，她也想告這家傳銷公司。

　　其實，儘管葉小姐與傳銷公司簽署合約，但是如果合約是透過不實廣告，或欺騙的手法而獲得，法官仍可以撤消該合約。除此之外，葉小姐還可以在小額法庭上要求傳銷公司退還

以前的會費。

華人社區這類傳銷公司很多，有少部份的傳銷公司是掛羊頭賣狗肉，純粹是發展人頭來賺錢的老鼠會。這些作法是觸犯刑法的犯罪行為，但是一來美國執法部門沒有精通華文的探員，上面也沒有任何政治壓力來處理移民社區的騙案，二來受騙上當的民眾不願意出庭作證，因而很少聽說老鼠會被政府取締的消息。新移民唯有瞭解這些騙案的運作方式，並透過小額法庭之類的司法機構來討回公道。

第一節 訴訟利弊

1.1 花小錢討公道

小額法庭是屬於地方司法機構，因而其法規及程序都是按照當地所在州的法規進行。根據自己的具體情況，各個州小額法庭有不盡相同的具體規定，法院的名稱和程序等也不相同。

儘管如此，全美各地的小額法庭仍是大同小異，有諸多相同之處。首先，小額法庭主要是解決日常生活中一定數額的金錢糾紛；其次，處理小額法庭訴訟案所需的時間比處理普通法庭案件短很多，往往從起訴到裁決只需要幾個星期。再者，小額法庭對證據的要求標準和普通法庭不一樣。普通法庭對證據要求非常嚴格，而小額法庭在採納證據方面較為自由。

此外，有些州不允許律師代表參與小額法庭案件，以免在法庭上讓任何一方聘請律師而形成勢力懸殊的問題。小額訴訟

案所涉及的賠償金額較小，各個州在小額訴訟案上都定有最高
賠償數額限制。有的州高達$18,000，有的州只有$1,500。由
於數額不大，很多原告或被告都不希望花錢請律師。

　　許多華裔新移民並不習慣使用小額法庭，主要是對小額法
庭的功能及運作方式不太熟悉，並忽略了小額訴訟的好處。其
實，使用過小額法庭的民眾都會發現以下這些好處：

一、原告或被告都可以自己準備，不需要律師的參
　　與。

二、手續簡便，申請容易。法院有固定的免費表格，
　　只要會基本的英文，就可以填表遞交到法院，而
　　展開訴訟程序。

三、其他普通法院案件的審理時間不一樣。小額案件
　　往往在一、二個月的時間內就會定案。雙方在法
　　庭上爭辯時間也非常簡短，其中原被告用五分鐘
　　左右時間各自陳訴其理由，法官再用幾分鐘的時
　　間提問雙方，然後就可以對案件進行裁決。

四、法庭上對翻譯的要求不嚴格。法官允許原被告的
　　親屬、子女或朋友幫助翻譯。因而，如果自己不
　　會說英語，可以請會說英語的親友翻譯，不用花
　　錢請翻譯。

五、在法庭上並不需要原、被告提出詳細的法律依
　　據，只要陳訴充足的理由，由法官對案件作出決
　　定。因而，如果你對小額法庭的程序有一定的瞭
　　解，能夠清楚地表達自己，說服法官，自己就有

獲勝的機會。

1.2 勝訴未必贏

小額法庭雖然簡便，畢竟仍是訴訟行為。在決定訴訟前，應三思而行。其中最重要的一個考慮因素是，如果自己勝訴後，是否可以獲得賠償。西諺言：「手上一隻鳥好過林中一群鳥。」手上拿到的錢雖少，畢竟是自己的錢，法院判下來的錢雖多，拿不到，也是空歡喜一場。

因而，提出訴訟之前，要考慮告贏後，究竟可以拿回多少錢？對方是否有能力償還這筆錢？有的時候在費時費力得到法庭的裁決後，被告卻根本無法償還，如果是這樣，不如在庭外和對方協商，爭取達成協議，使雙方都能接受，對方可以主動付錢。拿少好過拿不到，自己至少可以追回一部分錢。也省下追債的困擾。

在考慮是否可以在獲勝後得到賠償，應包括下列因素：

一、對方是否有工作。如果對方有工資，可以透過法院的判決，從被告的薪水中扣除部分金額做為債務的償還。但是每個州的規定不一樣。例如在加利福尼亞州，最高只能從被告薪水中扣除百分之二十五，來償還債務。在提出訴訟之前，最好向當地的小額法院諮詢，如果原告勝訴而對方不還錢，法院最多可以裁決扣除被告工資的比率是多少。

二、對方有沒有銀行戶口、股票、債券或其他值錢的

財產。美國對於債務人有專門的法律保護，債務人所居住的房子、日常用品，甚至他的車子都不可以被小額法庭的債權人拿走。但是，很多州允許債權人對欠債者的房地產放抵押狀 (Property Lien)，也就是勝訴的債權人可以在當地縣政府作抵押狀的登記，當債務人出售房產或重新貸款時，他必須先解決債權人的債務，否則他的房產因房產抵押狀問題不能隨意出售和重新貸款，屆時，債權人就有機會收回小額法庭的裁決數額。

三、如果是生意上的訴訟，對方的公司的營運狀況如何。被告公司有沒有良好的信用？還債的機率是多少？是否已經債務纏身？公司的存貨和設備等資產是否足夠用來拍賣還債？

需要注意：不論對方是個人或生意，一旦宣佈破產，即使你手中有法院的裁決，追回錢的可能也十分渺茫。

不過許多民眾去小額法庭，並不一定是出於金錢的動機，許多時候是為了爭一口氣。例如，自己的鄰居從不修理他們的花園，其樹葉總是落入你的游泳池內，你曾多次勸說，但鄰居根本不將你放在眼中，你唯有自己花錢找人清理，然後到小額法庭上告鄰居，要求鄰居賠償你的清理費用。

第二節 是否有理由告對方？

我們都知道，要到法院去告人，一定要有理由。這一理由，法律上就稱爲法律依據 (Cause of Action)。 小額法庭是屬於民事法庭，民事訴訟的法律依據很多，其中小額法庭經常遇到的法律依據有下列幾類：

2.1 毀約 (Breach of Contract)

首先，要瞭解什麼是合約。所謂合約，英文爲 Contract，或 Agreement，就是雙方以某些條件作爲交換而同意的協議。其中一方同意作某些事情，另一方也同意以某種方式進行交換。很多合約裏有條件限制，有的合約有時間限制，必須在某段時間限制內完成，或者需要在一定的時間後完成。

合約有口頭合約、書面合約或暗示合約幾種形式。許多新移民誤以爲口頭答應過的東西不是合約，其實，法律上依然承認口頭合約。不過，有些合約必須是書面的形式才有法律效力，如房地產買賣合約；金錢數額超過$500以上的私人財產買賣合約等。需要注意，十八歲以下的未成年人簽訂的合約是無效的。

其次，毀約的定義。合約的一方已完成自己應做的事情，而合約的另一方卻沒有履行自己的責任。法律上稱爲毀約行爲。

常見的毀約案件包括：

　　第一類，欠帳糾紛。如貨已依合約送到，或服務項目已經完成，對方卻不付款。

　　對於這種毀約進行訴訟，原告要證明幾點：

　　一、誰欠你的錢；

　　二、否證實你已依合約完成自己的職責；

　　三、證據證明對方未依約付款。

　　作為被告，其辯護理由包括：

　　一、你實際上得到的產品或服務是有缺陷的，它們和你合約中需要的產品或服務有很大的差距。

　　二、原告根本沒有送貨或為你服務，你根本沒有欠原告的錢。

　　三、你已經付了錢，或者已經付了部分的錢。

　　四、原告曾同意另立合約來償還欠款，或原告同意延期償還。

　　第二類，未履行合約義務。原告已經向被告付了錢，但是被告方卻沒有履行合約規定的職責。例如，原告請人拍結婚照，拿到照片後才發現對方使用的底片不當，結婚照無法使用；原告請人維修房子，修房子的人簽了合約卻不肯動工，或所用維修材料不符，根本達不到合約的要求。

　　作為原告，你必須要證明：

　　一、有合約的存在；

　　二、你依照合約向對方付款；

三、對方收了錢卻沒有履行職責。

作為被告，辯護理由應為：

一、沒有合約存在；

二、簽約人不是你，你無法對合約負責；

三、合約還沒有到期；

四、原告根本沒有任何損失。

2.2 故意或疏忽行為造成的人體傷害或財產損失

一、疏忽行為 (Negligence)

原告因為對方的疏忽行為而要求對方賠償他們造成的財物損失及人體傷害賠償。法律規定，每人都有責任維護他人的財產，因自己不小心而損害到他人財物的行為是疏忽行為。

疏忽案件包括：父親和小孩子在自己家的後院玩球，不小心將鄰居的玻璃打破；幫人修電腦，卻將電源電壓弄錯，整個電腦毀壞；不小心駕車時撞到他人等。

要證實疏忽行為，原告必須證實：

(1) 被告有責任小心進行；

(2) 被告沒有小心進行，粗心大意而造成事故；

(3) 原告的人體受傷或財物損失導因是被告的疏忽行為；

(4) 原告蒙受財物受損或人體受傷。

二、**故意傷害行爲** (Intentional Acts)。

　　未必所有的傷人或財物損壞都屬疏忽行爲造成
的，有許多行爲都是屬於故意的行爲。大部份的
故意行爲都觸犯刑法，除刑法以坐牢、罰做義工
等方式來懲罰對方外，受害者還可以在民事法庭
上提出訴訟，要求對方賠償自己金錢上的損失。
例如：某人故意打傷你，你應該馬上報警，警方
將追究他的刑事責任。此外，你還可以向對方進
行民事訴訟，要求對方賠償你的醫療費用、財物
賠償、精神損失等。

　　　許多州還立法允許對故意對他人造成傷害的
人給予懲罰性賠償。不過，小額　法庭的賠償受
到上額的限制。

三、**產品責任** (Product Liability)。

　　美國的很多州都規定廠家對其產品負有絕對責任
(Strict Liability)。即商品使用者不需要證明廠家的
生產的疏忽，只要是在正確使用此商品時受到傷
害，廠家就要承擔責任。例如，某人買了電熨
斗，正確使用卻發生漏電，客戶受到傷害。這類
對廠商訴訟的案子往往數額較大，會在正式法庭
審理。

　　　不過，也有一些州是採用疏忽行爲的標準，
即原告必須證實生產廠商知道或有理由知道產品

有缺陷，而廠家不採取任何補救行動，從而讓原
告受傷。

　　大部份的產品責任案件所涉及數額可能會超
出小額法庭的上額限制，因而大部是由律師到普
通的民事法庭提出訴訟。不過，一些損失不大的
案件，如在飲料中喝到異物、在超市購買的貨物
品質有問題、或在餐館中吃到鐵絲之類的案件，
如果商家不理會的話，消費者仍可以到小額法庭
提出訴訟。

四、產品或服務保證 (Warranty)

一般來說，產品或服務的保證分為明示保證及暗
示保證兩類。

(1) 明示保證 (Expressed Warranty)。許多廠商為
自己的產品提供書面的保證，保證該產品在
保證期內運作正常，如有問題，廠商將提供
免費維修等服務。此外，如果廠商或銷售商
在廣告宣傳上保證某些功能或效果，也屬於
明示保證之一。如果廠商不能實現自己的保
證，則屬違反產品保證行為。

　　例如，你從商店買了台列印機，廠商在
保證書上聲稱可以列印一定張數，但是使用
幾個月後發現，該列印機沒有印到廠家保證
的張數就壞掉。你可以根據該保證書要求廠

商的賠償。

(2) 暗示保證 (Implied Warranty)。大部份的產品雖然沒有廠商的明示保證，但是，法律上卻給消費者一種暗示的保證。法律規定，廠商在社會上出售的貨物及服務應起到該產品基本的功效，這就是英文所說的 Merchantability。例如，冷氣機應該冷、暖氣機應該暖。假若你買的冷氣機不冷、暖氣機不暖，彩色電視沒有彩色、所租下的公寓衛生間沒法使用，則消費者可以依此退貨或退租，如果商家或房東不願意，消費者可以到小額法庭以此為據來提出訴訟。

五、專業疏忽 (Professional Malpractice)。

在法律上規定，醫生、律師等專業人員在提供服務時要有專業標準及職業道德。如果這些專業人員的疏忽、失職或不負責任，而會造成客人的損失，消費者可以告這些專業人士專業疏忽。例如，醫生專業疏忽造成的醫療誤診，或律師不負責任，錯過法律規定的訴訟有效期限，使客人造成損失。

不過這類案件往往需要聘請同一行業的專業來作證，這些專家必須指證被告的專業人士沒有按照該行業的專業標準來提供服務。由於這類案

件聘請專家費用非常高，並且所涉及的數額較大，受害的消費者最好還是聘請專業的律師來處理為好。

六、公害 (Public Nuisance)。

如果某些人的不當行為影響自己的安全或享受自己財產的權利，你可以告對方，因為對方的行為已構成私人公害。例如，鄰居家的狗整夜狂吠，讓你無法正常休息，你可以到小額法庭請求法官下令鄰居採取必要的措施。

如果這些人的行為影響到周圍很多人的正常生活，則屬於公眾公害行為。例如鄰居購置房產後，從來不清理房屋四周的草地，或隨便將房屋出租出人做違法的事情，如販賣毒品等，讓整個社區形象和房地產價值受到影響。你可以到小額法庭告這家鄰居。

第三節 是否有損失？

在證實被告要為原告的損失負責後，提出訴訟的原告接著就要證實自己的損失。小額法庭主要是解決民眾金錢上的糾紛，它並不受理離婚、更改名字之類的案件。在小額法庭上，法官除裁決何方勝訴及何方敗訟外，還會作出賠償數額的裁

決，在某些情況下才會作出不涉及金錢的公正裁決。因而，在小額法庭提出訴訟前，先要確定自己究竟要告多少錢。

3.1 可以告多少錢？

每個州的小額法庭對訴訟的金額都有上額限制。也就是說，小額法庭上每宗案件都有最高的賠償額。這一最高的賠償額是由各州立法規定，各個州的額度有很大差別，例如：加最高上額為$5,000；華盛頓州最高上額只有$2,500。最高上額不包括法院收取的規費，及證人傳呼費用，以及訴狀遞送費用等。

如果涉及金額超過小額法庭的最高上額，原告仍可以使用小額法庭嗎？ 答案是肯定的。不過，如果原告訴訟的金額超過該州小額法庭的最高上額而繼續選擇在小額法庭提出訴訟，原告就要放棄追訴超出上額部分的權利。一旦放棄後，以後就不能就同一宗案件再次起訴。

與小額法庭相比，普通民事法院的訴訟程序複雜、法院費用較高、律師的費用也很相當可觀。因而，民眾經常會放棄一部分賠償金額的追討權，而選擇在小額法庭提出訴訟。

例如，老王借給小李$7,000，小李拒絕還錢，老王在州的小額法庭告小李毀約，因加州的最高上額為$5,000，因為老王怕花錢請律師而使用小額法庭，他最多可以獲取$5,000的賠償，他因此而自動放棄超逾的$2,000的追訴權利。老王在獲取到$5,000的賠償後，再也不能去追討另外的$2,000。

是否可以將一宗大案拆開成幾宗小案，分開幾次在小額法

庭提出訴訟？法律規定不允許對同一個案子拆開分次進行起訴。但是，如果所涉及的行為是在不同的時間發生，或涉及到不同的合約，或多次傷害到原告或原告的財物，原告可以分開來告。

例如，老馬請小許幫他安裝一些電話，費用為$3,500，剛安裝完畢不到一個月，老馬又要小許將這些電話轉移到別的地方，費用為$3,000。

工程完畢後，老馬一直都沒有付錢給小許。小許便將老馬告上法庭，如果這個州的上限為$5,000，小許可分成兩個案子告了進去，因為兩次分別有不同的合約。

不過，要值得注意的是，許多州對原告每年使用小額法庭的使用次數有所限制，並且次數越多，其後的最高上額也將降低。因而，在決定分成多宗案件在小額法庭告之前，應向法院查清每年的訴訟限量次數是多少。此外，如果被告為同一人或同一公司，提出訴訟的時間間隔儘量不要太近，否則，法官有可能將幾宗案件合併為一宗審理，而受到最高上額的限制。

3.2 如何計算自己的損失？

小額法庭法官在審理案件時，往往會考慮原告所提出的索賠數額。如果原告獲勝，法官有權力削減原告所提出的賠償數額，但是，不會主動增加賠償數額，使賠償數額超出索賠數。例如，被告實際欠原告$2,500，但原告在法庭要求的賠償數額為$2,000，法官有權判被告需賠$1,800給原告，但是，不可能會判$2,000以上的數額，因為原告並沒有提出此要求。

　　這並非表示原告可以在小額法庭上獅子大開口，毫無根據地要求被告支付巨額的賠償金。這樣做會引起法官的反感，使原告在法庭上失去可信度，減少勝訴的機率。如果原告在提出訴訟後，發現數額和實際情況有很大差距，可以書面要求法庭更改訴訟金額。對於這種情況，法官往往會延後審理案件的時間，也有的時候法官會將原案撤消，需要重新起訴審理。

　　準確地計算自己的損失至關重要，一來不會讓法官認為你漫天要價，二來又不會讓自己吃虧。消費者可針對下述不同的狀況作一些考慮。

一、毀約的案件

　　不管是口頭或是書面合約，可以按照合約中簽訂的金額減除你實際所得金額，差額部分就是你要求賠償的金額。

　　　在許多合約糾紛案件中，法官會要求原告在知道被告會毀約後有責任做一些補救工作，以彌補合約的損失。例如，在房東與房客的糾紛案件中，房客與房東答簽一年的合約，每月的房租為 $700。但是房客因故在合約規定的期限前提早六個月搬走，房東不能空著這房間不出租，而必須要試圖尋找新的房客續租，以彌補毀約房客造成的損失。如果房東不做任何出租給他人的努力，法官往往會減少判決的數額，且不一定會給六個月房租給房東。因而，房東最好能保留房客搬走

後登出的廣告，以能在法庭上向法官證明自己曾
努力以減少經濟損失。如果在舊房客搬走的二個
月後房東找新房客，舊房客只欠兩個月的房租而
不需要支付六個月的房租。

二、貸款案件

原告在提出訴訟時，如果沒有將貸款的利息損失
同時列入，法官在作出判決時，不會主動將利息
損失部分加入判決結果。所以在提出訴訟時，除
要按照貸款協定要求對方償還本金外，還應將利
息損失金額計算在內。

三、支票跳票

跳票(Bad Check)是指你在寫支票時，知道自己銀
行帳戶中根本沒有足夠的錢支付這張支票，但還
是寫了支票欺騙對方，而致使對方拿不到錢而蒙
受損失。

無理止付也是屬跳票行為。如果你購買物品
或使用了他人服務，而有責任付錢給對方，在寫
出支票後卻通知銀行止付支票，令對方造成損
失。

在這兩類跳票案件中，受損方除了要求被告
賠償支票面值外，還可以要求法庭給予被告懲罰
性賠償，這類懲罰性賠償的數額往往是支票面額

的幾倍。在不同的州，有不同的懲罰賠償標準。例如，在加州，跳票的懲罰性罰金最低為$100，最高為$1,500。

例如，如果住在加州的小王叫銀行停止支付小李面值$600的支票。法官在審理後確定小王為無理止付，可以判決小王賠償小李$600再加上$1,500的最高懲罰金。

需要提醒大家，如果對方的支票跳票，首先要給對方寄發索賠信(參閱附錄一的索賠信)，要求對方按時付錢。為確保對方收到索賠信，你可將此信以掛號信形式寄出，將來出庭時對方無法辯稱他沒有收到索賠信件。在三十天後，如果還收不到對方的付款或回覆，你就可以將對方訴諸公堂。

如果是你自己寫了支票後，發現你所買的貨物或得到的服務不合乎標準，使你非常不滿而通知銀行止付支票。你必須寫信通知供貨商或提供服務者，詳細說明你對貨物或服務的不滿，解釋止付支票的原因，以掛號信形式寄出。如果日後你因為這張支票被起訴，這封掛號信將成為你在法庭上為自己辯護的證據。

四、財物被損壞

當你的個人財物被他人損壞時，你有權利要求對

方賠償。一般而言，賠償金額往往是將損壞物品
修復返原樣的修理費用。因而，在提出訴訟前，
應進行修理財物的修理估價。如果修理的費用超
過了物品的市場價值，法庭一般只會賠償受損物
件的的市價。

例如，老陳不小心開車撞壞了麗麗的車門，
修車費估價是$1,200，麗麗車是1984年的舊車，市
價為只值$1,000，那麼，麗麗在小額法庭只能向老
陳索賠的金額就只有$1,000

在處理財物被損的案件中，你應該保留購買
此物品的收據及修理商的估價單，這些都是將來
在法庭上能證實你損失的證據。

需要注意的是，在衣服損壞的索賠案件中，
無論你如何珍愛這件衣服，其最高賠償仍然只是
當初購買的價格，並且穿的時間越長，衣服的價
值就越低。

五、人體傷害案件

人體傷害案件包括車禍、滑倒、被狗咬等事故。
有的案件受傷嚴重，損失較大，索賠金額可能超
出小額法庭的上限時，就要在普通民事法庭提出
訴訟。

小額法庭的索賠金額從以下幾個方面計算：
事故造成的財物損失；受傷人士的醫療費用；因

受傷耽誤工作而造成的工資損失；有的州對人體傷害案件還有精神損失賠償。以上幾部分的總和，就是你要求的賠償金額。

法官在審理中，首先考慮到你是否有醫療保險，如果保險公司已替你付了醫療賬單，法官不會再給你醫療費用方面的的賠償；如果在你受傷在家休息，公司並沒有扣你的薪水，那麼你將得不到薪資的賠償。如果你要提出精神損失方面的賠償，你必須要有充足的證據證明，如醫生或心理醫生的證明及賬單，有些州的小額法庭沒有對精神損失方面的賠償。如果你有嚴重的精神損失，要考慮到在普通民事法庭進行訴訟。

只有某些小額法庭，法官認為被告行為惡劣，可以對被告的惡意傷害行為判予「懲罰性的賠償」，以警示眾人，而懲罰性賠償的金額會超出原告的實際損失。但是，在很多州都沒有這類懲罰性賠償判決。如果你認為對方行為惡劣，應考慮聘請律師到普通的民事法庭提出訴訟。

第四節 公平裁決(Equitable Relief)

公平裁決是指在一些原告目的並非要求對方賠錢的案件中，法官可以採取一些強制性行動來能解決糾紛，以使案件有

一個公平的裁決。公平裁決主要有四種方式：

一、**取消合約** (Rescission)：如果對方以欺詐手法騙取合約，或一方有強迫行為，或有隱瞞實情，法官可以據公平原則取消合約。例如，營建商聲稱自己有營建執照，消費者誤以為真而簽署房屋改建工程，但後來發現營建商並沒有執照，消費者可以告營建商，並要求法官取消該合約。

二、**退還財物** (Restitution)：如果法官認為被告不當地擁有他人的財物，法官可以要求被告將不當擁有的財物退還，以補償受害人的損失。例如，商家出售傢俱給被告，被告無錢付款，法官可判被告將傢俱退還給原告。

三、**更換合約** (Reformation)：如果法官認為簽約一方誤會另一方的意思，而簽署的合約內容並沒有反映出雙方原來簽約的意願，法官可以修正合約的內容以正確反映雙方的意圖。

四、**強制執行** (Specific Performance)：如果合約所涉及物品十分獨特，市場上再也找不到別的東西可以替代，法官可以作出強制執行的判決，要求被告將此獨特物品出售或歸還給原告。例如，小張在畫廊定購一幅手繪油畫，畫廊拿錢後反悔，不願將畫給小張，小張也不願意拿錢回來。小張買畫，是因為這張唯一的手繪油畫中的建築非常像兒時的住所，他對此畫獨有所鍾，法官因為此獨

特的情形而強迫畫廊將畫出售給小張。

很多時候，法官會作出一些條件性的公平裁決，而這些條件性公平裁決一般都會結合一般的金錢賠償及以上四類公平裁決。例如法官有權判決被告將財物在規定的時間內退還原告，否則就必須將錢退還給原告。

第五節 訴訟時效期

5.1 是否在時效期內提出訴訟？

法院對案件的起訴期限有一定的限制，主要是因為案子拖得越久，原來的證人會記不清楚當時發生的情況，原本很清晰的案件會變得模糊不清，證據也不容易收集。此外，法院也希望一旦有糾紛發生，當事人儘快解決問題，不要將案子拖得太久，否則案件堆積，難以審理。

因而，州政府立法機構會針對各類案件而制訂出訴訟的時效期 (Statute of limitation)。如果消費者在超出時效期才提出訴訟，縱使有充足的理由，但是法院都不會受理。因而，錯過時效期，就等於主動放棄了訴訟的權利。

需要注意：如果訴訟對像是政府機構，如市政府、縣政府、州政府或其他政府工作部門 (學區等)，民眾必須在六個月內首先向相關的政府機構提出書面的索賠信，在索賠被拒後，才能夠在法庭提出訴訟。如果未能在六個月內向政府提出索

賠，就等於錯過時效期一樣而失去索賠的權利。

　　每個州對於不同類型的案件有不同的時效期。例如，在加州，人體傷害類案件的訴訟時效期為二年；書面合約毀約案件為四年；口頭合約毀約為二年。在提出訴訟前，當事人應清楚瞭解自己的案件是否已超過時效期，可以向當地的小額法庭諮詢相關案件的時效期，一些常見案件的時效期可參閱書後各州的說明。

　　在同一個案件中可能涉及到不同的訴訟理由，由於許多訴訟案件的時效期不一，縱使其中之一的理由錯過時效期，但是原告可選擇沒有超過時效期的理由來提出訴訟。

5.2 如何計算時效期？

　　當你查清案件的時效期後，你可以從以下方式來計算你的案件是否在有效期內。

一、合約的糾紛：從毀約日期開始計算。例如，對方本應三月一日交付租金，而在三月一日後並沒有交租，如果合約並沒有提供可遲付的協定，那麼毀約行為就將從三月一日起計算。

二、人體傷害或財物損害案件：從事故發生的當天開始計算。例如，你在今年二月一日在加州發生車禍案件，加州的人體傷害案件時效期從二零零三年為二年，因而，如果對方保險公司拒賠的話，你必須在二零零五年二月一日向法院提出訴訟。

原告錯過時效期是被告辯護的理由之一。因而，在出庭前，被告應對原告的訴狀進行研究及調查，查清原告是否錯過時效期。如果原告果真錯過時效期，被告應及時告訴法官，這樣法官可以據此而撤銷訴訟案件。

第六節 訴訟前和解

6.1 和解方式

我們中國人常言，以和為貴，和氣生財。生意上的一些糾紛往往通過協商就能解決，沒有必要為了一些糾紛花費雙方太多的時間精力，同時又可以避免失去生意夥伴和客戶。

鄰里之間和睦相處非常重要。常言道：遠親不如近鄰。鄰里之間小的衝突最好是雙方講明情況，爭取和解。法庭上見，很可能以鄰為敵，未必是件好事。

訴訟是迫不得已的解決問題的手段。訴訟很費時間和精力，即使是在小額法庭，也需要很多時間的準備。雙方對駁公堂時為了維護自己利益及面子，會爭得面紅耳赤，撕破臉皮。任何一方在法庭之類公共場合中下不了臺，都會感到既難堪又氣憤。

此外，到小額法庭上告，所得到的結果未必會比和解的結果好。美國州法院研究中心研究在大量小額法庭訴訟進行研究，其結果顯示，百分之三十二的原告拿回所要求的全部賠償；百分之二十二的原告在訴訟後獲取到訴訟金額的一半到全

部；百分之二十的原告得到的判決不足訴訟金額的一半；還有百分之二十六的原告得不到任何賠償。

6.2 如何寫索賠信？

　　為了鼓勵民眾訴訟前和解雙方的糾紛，許多州都要求原告在提出訴訟之前向對方提出索賠要求。索賠信(Demand Letter)讓你有機會向對方陳訴自己的要求及索賠理由，促使對方還錢；更重要的是，如果對方收到索賠信後仍不作出任何行為，這封索賠信將成為法庭上的重要證據。不過，被告沒有收到原告的索賠信，並不等於原告失去訴訟的機會。

　　向對方寄發索賠信表明你對這件事情非常認真，並表明自己和解的立場。你在整理糾紛的過程中，還可以理清自己的思路，並且可以心平氣和地向對方提出索賠金額要求。寄出索賠信，可以讓對方瞭解到你是嚴肅對待這宗糾紛的，如果對方不願意和解的話，你完全有可能提出訴訟，從而引起對方的重視。

　　在寫索賠信時，就需要注意以下幾個問題：

一、最好能使用英文。如果自己不懂英語，而對方又會讀中文，你可以用中文書寫。但如果對方不會中文，最好請懂英語的親友幫忙用英文書寫。

二、索賠信要字跡清晰可讀。最好用正楷書寫或列印。

三、在信中要陳訴事情的來龍去脈，列舉自己索賠的理由及根據。寫信時要考慮到這封信將來有可能

是法庭上的呈堂證據，法官很可能看到這封信，
而從這封信裏瞭解案情。

四、索賠信要注意語氣，應禮貌客氣地提出索賠要
求，不要向對方進行人身攻擊或恐嚇。

五、賠信要具體提出自己的需要，表示確切的索賠金
額。

六、索賠信應設定對方必須回應的期限，你可以要求
對方在十天到兩個星期回應你的索賠要求。

七、在信中你可以明確告知對方，如果到期沒有還
錢，你將到小額法庭提出訴訟。

八、最好以掛號信形式寄出索賠信，自己要保存一份
複印件。

你可以根據自己的情況，仿照書後的索賠信樣本撰寫索賠
信。(參閱書後附件一)

6.3 如何在訴訟前和解？

一旦發出索賠信後，如果對方願意，你應該考慮進行和
解。訴前和解應考慮以下幾個因素：

一、和對方直接進行溝通。很多案子都是因為雙方都
沒有溝通，而造成無法解決的問題。在溝通時，
你要向對方講明情況，表明自己的立場，提出索
賠的數額，準備作出某些讓步，爭取達成雙方都
可以接受的協議，在法庭之外就將問題解決。

二、需要第三者的介入，你可以到法院查詢是否有調解(Mediation)的服務。很多法院及政府都提供免費的調解服務。調解員是受過訓練與本案無關的第三者，通過聽取雙方的敘述，爭取達到使雙方都能接受的協定。這種調解沒有收費，或收費很低。調解員不是法官，沒有權利對案子裁決，但是通過協調，雙方坦誠布公地說明各自的情況，在第三者的幫助下，有時各退一步，會達到在訴訟前和解的目的。如果你可能成為訴訟案的被告，應要爭取調解機會，以避免到法庭上解決這些糾紛，屆時費時費力，實在不值。

三、果訴訟雙方在開庭前達成和解協議，法官可以當場撤消訴訟。訴訟雙方可以要求法官做出裁決，將雙方的協議作為法庭的最終判決，讓法院記錄，如果將來在執行和解協議時有爭議的話，起碼有法院的記錄。

6.4 達成和解後該如何處理？

如果雙方在訴訟前就達成和解協議，最好是將雙方的協商結果達成書面協議，並相互簽署一份棄權書(Release of Liability)，表示雙方將放棄彼此訴訟的權利。棄權書應包括以下幾個內容：

一、要清楚地記錄雙方的名字和地址。

二、要用簡單的語言陳訴何種糾紛，該糾紛何時何地

發生。

三、清楚說明對此糾紛雙方的協議結果，個人應該履行的義務，應該完成的事情，雙方所要放棄的利益和得到的賠償。

四、雙方同意全權放棄訴訟，不得再對同一件事情提出訴訟。雙方也可以說明這一協議並不屬承擔責任的行為。

五、雙方同意這份棄權書將約束所有有關糾紛的人，任何人不能再以其他方式對同一件事情進行訴訟。

六、在棄權書上要有雙方的簽字和日期。為了避免日後麻煩，最好可以請證人在場的時候雙方簽字，證人也要簽字證明雙方在自覺自願的情況下簽署此協議。如有可能，也可以在請公證員公證。

請參閱書後的棄權書樣本。(附件二)

第三章 誰可以告及可以告誰？

案例：

老王替別人打工五、、六年，終於籌到一筆錢，便開了一家小禮品店，出售一些中國禮品及電話卡。有一位客戶每次都買十多張電話卡，有一次，這位老客戶稱自己需要二百張電話卡，可惜自己身上現金不夠，就問老王能否用付支票。老王覺得這位客戶平時都很老實，也就不計較，收了他的支票，將二百張電話卡給了這位老兄。

沒想到，幾天後，銀行打電話來，稱三千多元的支票帳戶只有一百多元。老王根據支票上地址找到這位老兄，這位老兄連聲道歉，說再過幾天補錢，而拿走的電話卡已給朋友了。

催了幾次都沒有結果，老王發現這位老兄是在經營家庭式旅館，除向租客收租外，還出售電話卡給租客，他用同樣的手法騙走了多家電話卡店的電話卡。老王決定到小額法庭告他，但是他經營的禮品店並沒有註冊為有限公司，而屬於他的私人生意，對方所開的支票是給禮品店的。老王該是以自己名義去告？或是用禮品店的名義去告？這位老兄個人有財產，但是他的支票卻是公司的支票，該告他個人或是告他的公司？

第一節 誰可以告？

　　法律規定任何年滿18歲，精神正常的成年人都可以在小額法庭提出訴訟。但是，有些州對某些需要領取執照的原告有一些特殊的要求。有的州不允許沒有執照的人，對其無照做生意時發生的糾紛進行訴訟。例如，老李沒有營建執照，在爲小馬修理房屋，修理完畢後，小馬不肯付錢。在許多州裏，老李不能在小額法庭提出訴訟，因爲他是非法無照提供服務。因而，沒有執照的生意人，如營建商、電工、維修工等要瞭解到沒有執照作生意很危險，一旦發生了糾紛，自己卻沒有訴訟的權利。

　　每個州對原告資格有不同的規定，在提出訴訟前你應向當地的小額法庭諮詢。在填寫表格時，由於原告的類別不一樣，原告應使用的名稱也有所不同。

1.1 原告該使用什麼名義來告？

- 如果你是個人單獨提出訴訟，你只需要使用自己的姓名作爲原告；
- 如果你和一群人一起對某人提出訴訟，每個人都要將自己的名字寫入原告名單內，即使夫妻也要分別列出各自的姓名；
- 如果你個人經營的私人生意 (Sole Proprietorships) 和他人發生的糾紛，作爲原告，你必須在訴訟狀上將自己姓名和生意的商業名稱一起寫

入。例如，你的姓名為 John Lee，你經營的餐館為 Chinese Wok，如果你的公司並沒有向州政府申請為有限公司，而只是向縣政府登記商業假名，如果客戶開出的支票跳票，你要索賠而到小額法庭告對方時，原告應是 John Lee doing business as Chinese Wok。要注意，有些州要求私人生意必須向縣政府登記，它才有原告的資格。例如，在加州，法院要求原告填寫生意假名聲明第二號表格，証實你使用商業假名來經營。

- 如果你是和其他朋友合夥做生意，合夥公司 (Partnership) 和他人發生的糾紛而需要到小額法庭提出訴訟時，你必須以合夥公司的名稱作為原告，不過，任何一位合夥公司的合夥人簽字即可。如果合夥公司使用商業假名，你必須在列出商業假名的同時，還必須列出合夥人的姓名；

- 如果你是代表一般性有限公司 (Corporation) 或非營利的機構在小額法庭提出訴訟，你必須將公司或非營利機構的名稱列為原告。簽字的人應該是公司的主管，或理事會授權有簽字權利的人。如果你不是公司的主管，法庭的書記官會要求查看有關文件，確定簽字人是否獲得公司的授權來做為代表；

- 如果你代表只向縣政府註冊並未向州政府登記的社團組織 (Unincorporated Associations) 來提出訴

訟，你必須將社團組織的名稱、你自己的姓名及職稱列爲原告。如你是華人協會的會長，你代表協會提出訴訟，原告應是 Chinese Association, by John Lee, president；

- 如果你駕駛他人的汽車，在駕車期間不幸被他人撞到，但是汽車的登記主人並不是你。如果你想要求對方賠償修車費用而到小額法庭提出訴訟，雖然你是駕車人士，但是你無權作爲原告，只有車主才能提出訴訟。不過，如果你受傷而要求對方賠償醫藥費，你才有資格作爲原告。

1.2 是否可以請律師代表？

　　小額法庭由於涉及的數額較少，爲方便民眾使用，程序設計都比較簡易，一般民眾都不需要律師就可以自己動手處理。不過，美國社會太依賴律師，許多民眾都不願意花些時間來學習如何利用小額法庭，而都覺得儘管糾紛所涉及的數額不大，但是聘請律師較有保障。

　　許多州都允許律師代表原告或被告處理小額法庭案件。但是有許多州的小額法庭規定雙方不可以由律師代表，必須是本人親自出庭處理。這些州包括：阿肯色州，加州、科羅拉多州、愛達荷州、堪薩斯州、密西根州、明尼蘇達州、蒙坦拿州、內布拉斯加州、奧勒岡州、維吉尼亞州及華盛頓州。在明尼蘇達州、奧勒岡州與華盛頓州，只有在小額法庭的法官同意下才可以由律師代表。

　　無論在哪個州，民眾在出庭前依然可以花錢向律師請教，由律師協助準備出庭的事宜。

1.3　追債公司是否可以在小額法庭提出訴訟？

　　許多民眾為方便及省事起見，都想將債務相關的案件交給收債公司來處理。而許多收債公司在收債時，都會想利用小額法庭的法律途徑來收債。大部份的州都允許收債公司代表債權人到小額法庭提出訴訟，債權人不需要親自到庭。

　　但是，以下幾個州是不允追債公司在小額法庭提出訴訟，它們包括：阿肯色州、加州、科羅拉多州、肯塔基州、密西根州、米蘇裏州、蒙坦拿州、內布拉斯加州、新澤西州、紐約州、俄亥俄州、奧克拉荷馬州與德克薩斯州。在這些州裏，債權人必須親自出庭訴訟債務人。

第二節　可以告誰？

　　在美國居住較長時間的民眾都會有體會，只要你有錢，誰都可以告。不過，從現實的角度來看，隨便去告人，一來亂花錢，二來可能招來反告。有的放矢地告，可以事半功倍。反而無的放矢地亂告，可能事倍功半。

2.1　對個人進行提出訴訟

　　如果對方是個人，就要將此人的全名寫出，包括姓和名。

很多華人來了美國後會取一個英文名字，如果有英文名字，也要一起寫出。例如：李小雯的英文名字是 Eva，那麼在提出訴訟時，被告人的姓名就要寫成，「Xiao Wen Li AKA Eva Li」。AKA 是 Also Known As的縮寫，別名之意。

2.2 對兩個或以上的人提出訴訟

如果你是和幾個人發生的糾紛，比如說，你的合約中涉及到幾個人或疏忽行為是幾個人共同造成，如你要提出訴訟，你必須將所有人士的姓、名字都列入訴狀的被告名單內。每一個人都儘可能使用最完整的中英文名字，即使是夫妻兩人，也要分別將兩人的全名列出。

在多個被告的案件中，法官的判決對每個被告都生效，儘可能將被告寫完全，對原告將來追討賠償非常有好處。除非法官特別有例外裁決，法院的裁決一般都是「共同全部責任」(Jointly and Severally Liable)，就是說，任何其中的一位被告都要為整宗案件承擔起全部的責任。例如，法官判小張、小王、小黃，一起償還你$4,500元，小張一文不名，實在無法還錢，小王和小黃就必須承擔債務，小王不幸車禍身亡，只剩下小黃，那麼，小黃就必須承擔所有的債務。

2.3 對私人生意提出訴訟

正如前面所述，私人生意是指個人未將生意申請為有限公司，業主只向當地縣政府登記使用商業假名而已。如果要告私人生意，必須將這家私人生意的商業名稱，和業主的姓名共同

列入訴狀的被告名單，如 John Lee，DBA，China Shop。
DBA 為 Doing Business As 之縮寫，以此名義來從事商業
活動之意。

　　需要注意，很多人都不是用自己的眞實名字做爲生意的名
字，許多時候一般人都不知道店東的姓名，因而在訴訟前，應
瞭解清楚商店的名稱及店東的姓名。

　　紐約和加州放鬆對被告名字的要求，如果在聽證會時發現
對方的名字有錯誤，就可以在庭上當庭改正，訴訟仍舊有效。

　　要調查清楚商家的名稱及幕後的老闆，有幾種方法可以查
得清楚：

一、許多商家都是個人經營的私人生意 (Sole
　　Proprietorships)，商家生意的收入等於個人的收
　　入。美國允許私人用自己的名字作生意，但一些
　　人會選擇用習慣稱呼或假名字作生意，在法律上
　　稱爲商業假名 (Fictitious Business Name)。許多
　　州要求業主在使用商業假名時，必須到商業所在
　　縣的書記官辦公室進行登記。這些資料都是公開
　　的，所以，當你不確定被告業主的眞實姓名時，
　　可以去被告生意所在縣的書記官辦公室查詢。

二、另外一個途徑是在對方商業所在的縣或市政府的
　　執照辦公室或稅收辦公室查詢。美國的稅收部門
　　往往保留報稅人最完整和眞實的資料。

三、如果對方是有執照的專業人員，如律師、醫生、
　　理髮師等，可以到州政府執照登記辦公室查詢。

在州政府的執照辦公室，應該清楚地記載這些有
執照人員的姓名和地址。可以上網到所在州的政
府網站，瞭解是那些部門在管理執照的登記。

2.4 對合夥生意提出訴訟

在法律上規定，合夥公司的每一個合夥人都要對生意承擔
責任。也就是說，即使你只是和這個生意中合夥人之一發生糾
紛，萬一其中一個合夥人無錢償還，另一個合夥人有責任來償
還債務。因而，你應該在訴訟中將合夥公司，以及所有的合夥
人一起列為被告。

2.5 對有限公司或責任有限公司提出訴訟

如果是有限公司 (Corporation) 或責任有限公司 (Limit-
ed Liability Corporation) 職員在工作有疏忽行為而讓你承受所
造成損失，你很難告贏公司的老闆、經理或職員，畢竟他們是
在公司的保護下做事的，因而，你必須對他們所屬的公司提出
訴訟，除非這些職員的行為與公司事務全然無關。如果是公司
債務問題，你只能告對方公司來討回欠債。

要對有限公司或責任有限公司提出訴訟，首先要列出公司
全稱。公司招牌或信件上的公司名字不一定是公司向政府註冊
的名字。當事人可以到當地市政府或縣政府的商業執照管理部
門查詢公司全稱；或者到州政府的州務卿辦公室 (Secretary
of State) 或州政府公司管理局 (Corporation Commissioner's
Office or Department of Corporation) 查詢。

注意：即使這家公司的總部是在外州，只要這家公司在本州內有生意運作或設有辦公室，你就可以在本州提出訴訟。

第三節 對政府部門提出訴訟

政府部門是由納稅人的錢所支援，俗語說，羊毛出在羊身上，如果政府部門要賠償的話，最終是由納稅人支付而已。因而，為保護政府的利益，各地政府部門對一些涉及到政府的訴訟有一些特殊的要求。例如，如果是政府的某個部門或工作人員在業務操作時失職對你造成了傷害，你必須在半年甚至更短的時間內提出索償要求，否則，你會失去將來訴訟的權利。

一般向政府索償的過程如下，首先向市政府或縣政府書記官辦公室詢問具體的手續及索取表格，你必須在事故或毀約行為的時效期 (一般是六個月) 內將索賠文件及表格後交回市政府，市政府的律師會開始審理你的索賠案件，該律師會向市或縣政府議會提出建議，決定是否對你作出賠償，大部分情況下政府都會拒絕索賠要求，然後給你一封拒絕索賠的回信。有了這封拒賠信，你才可以在小額法庭對政府提出訴訟。

注意事項：

一、對市或縣政府的訴訟，在事故或糾紛發生後要抓緊時間提出，按照以上幾個步驟進行，否則會超過時效性，失去訴訟的權利。

二、可以在小額法庭對聯邦政府或其工作人員進行訴
　　訟。因爲聯邦政府的機構屬於聯邦系統法律的司
　　法體系，小額法庭屬於當地州政府的司法系統，
　　所以，對聯邦提出的訴訟必須在聯邦法庭進行。

第四章　到何處告？

案例：

　　喜歡交友的老張，得知自己多年未見的好友從臺灣來美觀光，他請了一個星期的假，租來了一架箱型車，並親自駕車帶友人遊玩一番。來美國當然要去賭城開一下眼界。下班仍未休息的老張，和太太駕著車，接著友人興高彩烈地上路，從洛杉磯駕車前往拉斯維加斯。

　　在路上，老張興致勃勃，和老友談笑風生。老張的太太覺得老張話太多，一邊開車一邊講話太危險，便要求讓她來駕駛。他們不知不覺開進了內華達州境。但是，快進入賭城前，有一輛汽車在他們箱型車前面剎車，而張太太跟得太近，來不及煞車而撞上前面的車。幸好大家都沒有受傷，只是前面的汽車後面的保護桿受損一些。

　　雙方交換了汽車保險資料。老張以為租車公司的保險公司會處理所有車禍相關的賠償。但是沒想到一個星期後，保險公司通知他說，因為他租車時駕車人士只有他一個人的名字，而沒有他太太的名字，因而，他太太駕車而發生的車禍不在受保範圍內，他太太要個人承擔起賠償對方的責任。

　　十多天後，對方寫信要求張太太賠償$4,000的汽車修理費用，老張覺得不合理，因為修理估價單只有二千多元，對方明顯故意擡高價格。因而，老張拒付這些費用。許多朋友都跟他

說，因為事故是發生在內華達州，而張太太住在加州，對方要告的話也要到加州來告，因為被告是住在加州的。一個多月過去了，都沒有消息，老張也覺得此事應該是不了了之。

但是半年後，他收到加州汽車管理局寄來的信件，汽車管理局告知他有人在內華達州的小額法庭告他。再找律師一問，原來儘管是外州發生的事故，並且對方住在外州，如果他不應訴，對方將會獲取到勝訴的裁決，而加州汽車管理局將可能吊銷張太太的執照，直至法院的裁決全部償還為止。

後來，老張聽取律師的建議，趕緊與對方求和，經過雙方的協商，老張同意支付$3,000來作為賠償，而了結此案。

小額法庭所處理的案件大都是在鄰裏之間的糾紛，很多情況下原告和被告都住在法院附近。一般而言，提出訴訟的法院是被告的居住地，或被告公司所在地，或事故地點所在的法院。

但是，有一些案件如案例中的老張一樣，涉及到跨州案件時，何處的法院才有權利審理？

第一節 對方在外州時

由於小額法庭所涉及的案件賠償金額較小，案件較輕，不足以讓原被告長途跋涉出庭抗辯，而且小額法庭屬於州的司法部門，一般情況下只在本州內遞送傳票。所以，對在外州的被

告，需要在被告個人所居住的當地法庭提出訴訟。

但是，有一個例外。由於美國交通發達，跨州的交通事故經常發生，大部份州都允許當地的居民在事故發生地的法院提出訴訟，狀告路過當地而造成交通事故的外州人士，而外州人士必須回到事故發生地的法院去應訴。

第二節 對外州的公司提出訴訟

如果被告公司的總部是在外州，但該公司在原告所在的州設有分公司、辦公室、連鎖店、倉庫、零售店等，原告就可以在本州內起訴這家公司。

外州公司在原告所居住的州沒有上述的分支機構，但在原告所在地有生意往來，原告仍舊可以在本州的合約簽署地點，或事故發生地點所屬的法院提出訴訟。這些生意往來行為包括：外州公司在當地聘有營業代表推銷產品或提供服務；使用電話在本地推銷；在網上向該州銷售或提供服務，郵寄產品目錄及廣告；在當地的電視電臺等媒體作廣告宣傳等。

第三節 對在本州的被告提出訴訟

每個州都設有不同的法院，應該到哪個具體的法院去提出訴訟才妥當？通常情況下，要遵循以下幾個規則：

一、應該在被告所居住地區的小額法庭提出訴訟；或者被告公司所在地的法院提出訴訟。如果有多位被告，而這些被告居住在不同的地方，有的住在當地州，有的住在外州，該在何處告呢？不同州也有不同的規定，加州，新澤西州等法庭規定，只要有一個被告住在該州，原告就可以在這個州提出訴訟；但是，紐約等州則規定必須在每一位被告居住州或其生意所在地提出訴訟。因而提出訴訟前，先向當地小額法庭諮詢。

二、一些州規定，對於毀約案件，這個書面合約的簽訂地點，可以做為提出訴訟的地點。在一些州規定，不但是簽訂合約的地方可以提出訴訟，這個合約所涉及到的生意或其他事務的履行地，或毀約行為發生地都可以成為提出訴訟的地方。

三、大多數州，對於人體傷害或車禍的案件，原告可以在事故發生所在地提出訴訟。

　　慎重選擇提出訴訟的地點對某些案件非常重要。例如：王先生和趙先生在田納西州簽署了一份合約，王先生給加州的趙先生發貨，但是趙先生收到貨後卻不肯付錢。王先生可以選擇在加州或田納西州，對趙先生提出訴訟，因為合約的金額較大，是$12,500，加州小額法庭的最高上額為$5,000，在田納西州則為$15,000，因而，理論上來說，王先生選擇在合約簽訂地－田納西州對

毀約的趙先生提出訴訟較爲划算。但是，如果王先生單純是爲此而趕來加州出庭，未必划算，並且如果勝訴的話，在跨州收債也是一大問題。因而，在一般情況下，如果原告有多個訴訟法庭供選擇的話，往往應選擇對自己最方便的地點爲好。

第五章　如何在小額法庭提出訴訟？

案例：

　　在美國經營食品進口生意的馬姓商人，專門向中餐館供應一些中餐食品。以往經濟較好時，客戶都可以準時付錢，但是，近年經濟不景氣，越來越多的中餐館拖欠付款。剛開始時，馬先生因爲想與客戶保持良好的關係而沒有催客戶還錢，但是，他後來發現這樣做自己反而資金周轉不過來。

　　他曾多次與中餐館客戶協商，爭取他們早一些還錢，但是許多餐館生意不好，根本無錢可還，另外，供應商又多，即使馬先生的公司不發貨，其他供應商仍願意發貨。大部份的餐館都拖欠幾千元的貨款。如果花錢請律師的話，每宗案件至少也要花上千元的律師費，並且獲勝後能否得到賠償仍是問題。

　　後來，他找來一家收債公司，收債公司雖然不收費用，但是如果獲得賠償要分一半的錢。他交給收債公司十二宗案件，結果，半年後，只有一宗獲得賠償。

　　幸好他上大學的兒子放暑假，到公司來幫忙，瞭解到公司客戶欠賬的情況，便開始自己到小額法庭去提出訴訟。馬先生從來沒有上過法庭，但是沒想到在小孩的幫助下，塡妥表格，找法庭警察送訴狀，沒幾天，被告的餐館就主動找上門來求和。馬先生不僅將整筆數款討回來，而整宗案件只花不到一百元的費用。

在首宗案件旗開得勝後，馬先生再接再厲，一口氣告了其他的欠賬客戶。一些欠賬客戶知道馬先生上庭討債的行動後，都願意開始坐下來商討還清債務的事情。不過，許多中餐館也因為馬先生敢去法庭告而不願與和他打交道。馬先生對此並不太在乎，反而自我安慰，「如果客戶有意拖欠貨款，跟他們做生意拿不到錢，不做也罷！」

第一節 法庭的訴訟費用(Filing Fee)

1.1 法院規費

法庭會向提出訴訟的原告收取法庭審理案件的費用，小額法庭的宗旨是為了方便民眾使用，所以，收費較低，一般是在$50以下。低收入者還可以申請免除訴訟費。法庭並不收取被告的應訴費用，但是如果此案件中的被告對原告提出反訴，提出反告者也和原告一樣，要付法庭的規費。

1.2 訴訟傳送費用 (Process Service Fee)

原告在向法院交納規費並遞交表格後，必須將訴狀告知被告，讓被告到庭上應訴，這一程序英文稱為Process Service (訴狀傳送手續)。一般來說，訴狀的傳送有四種方式：

第一種是透過法院用掛號信方式寄送訴狀。這種方式收費較低。

第二種是通過法院的庭警或縣警察遞送訴狀。另外，法院

還允許通過法庭外的專業傳票傳送公司來送訴狀。透過庭警或傳送公司都需要支付額外的傳送費用，一般在$25元左右。

第三種是透過其他經過與本案無關的第三方成年人士遞送傳票。

第四種是替代性傳送(Substituted Service or「Nail and Mail」)。如果曾嘗試使用過其他方法都無法將訴狀送達到被告手上的話，你可以叫人將訴狀及傳票送到被告居住的地方，交給十八歲以上的居住人士並告知這次資料的性質，然後再用郵寄的方式將訴狀及傳票一起寄到被告的地址。在寄發十天後，傳送方式就算完成。

法庭的訴訟費和遞送傳票費並不包括在小額法庭的最高限額內，但是原告必須向法官提出要求對方賠償這些法院費用，因為法官不會自動這樣做。

第二節 法庭表格

2.1 表格內容

小額法庭為方便民眾，都備有簡易的表格供民眾使用。原告提出訴訟時，必須使用原告訴訟狀(Plaintiff's claim)表格，(參閱第一號表格)。該表格內容並不如普通民事案件一樣複雜，其中包括以下幾個方面：原告的姓名地址；被告的姓名地址；原告提出訴訟的原因；原告要求的賠償金額。

訴訟的原因主要是包括你要告對方的理由及法律依據，一

般而言，你都不需要填寫法律條款依據，只是簡單地陳述提出
訴訟的理由。例如：

- 張三某年某月向本人借$5,000，今年一月本來要
  還，但是現在拒不還錢。
- 李四某年某月撞了我的車子，不肯賠償，又沒有
  保險。
- 王五的狗某年某月咬了我，我去醫院接受治療，
  而王五拒付醫藥費。
- 趙六的孩子某年某月砸壞我的玻璃，要我花$150
  的修理費。

在陳述理由時，要清楚地寫明事件的時間、地點、人物，
以及自己身體受傷或錢物受損情況。

2.2 法庭開庭的日期安排

填妥原告訴狀後，你需將此表格遞交到法院的書記官辦公
室 (Clerk's Office)。他們在接收訴狀時並會收取訴訟費用。

法庭書記官辦公室可能還有另外一份固定表格需要填寫，
書記官會讓原告自己填寫或幫助原告填寫，然後請原告簽名，
聲明陳述上述情況是屬實的。接著，他們會分配一個案件號碼
給原告，將二本副本給還原告。同時，他們還會提供一份法院
告票 (Summons)，原告必須將訴狀的其中副本，以及法院告
票這兩份資料傳送給被告。

需要注意：有很多法院都不要求原告在提交訴訟表格時提
供有關案件的證據，原告可以在開庭時才提供。但是在華盛頓

等幾個州，在遞交訴訟狀時就必須向法院提供其證據。

　　書記官在收到所有資料後，就必須確定開庭的日期。因為小額法庭的案件較為小，涉及到的金額不高，沒有律師的參與，程序比較簡單，所以審理速度快，往往在遞表進去後不久就開庭。法庭的書記官會提供幾個日期供原告選擇，原告需要選擇一個對自己方便的日子。因為要考慮到留有充足的時間向被告遞送訴狀，因而最好選擇一個月到一個半月為好。

　　小額法庭的案件一般在上午九時開庭，有些州會在晚上或周末開庭。在遞表時應書記官查清楚具體的時間。

　　如果在開庭日前仍未能將法庭的訴狀遞交到被告手中，原告可以回到法院，請求書記官更換另外一個開庭日期。

　　被告在收到法庭傳票後，如果法庭開庭日期對自己很不合適而無法出庭時，被告可以向原告要求更改出庭日期，在得到原告許可時向書記官通知更改出庭日期。如果被告得不到原告的同意，可以向書記官直接要求，爭取法庭可以安排一個對自己方便的時間。

第三節 訴狀的傳送

3.1 為何要告知對方？

　　美國法律所講究的其中一個原則就是公平。所以，無論是原告還是被告，都有權利充分瞭解和準備自己的案件，有機會在法庭為自己的行為及權益爭辯。因而，小額法庭要求原告在

向法院提出訴訟後，必須向被告遞送訴狀，讓對方知道訴訟的內容以作好辯護或反告準備。

要向被告傳送的資料主要是讓被告瞭解他為什麼被起訴、被誰告、開庭的地點和時間。告票的送達必須在開庭前的規定時間內完成，以讓被告有充足的時間準備自己的案件，找到對自己有利的證人或證據。如果被告要對原告提出反訴，也有充分的時間整理並遞交反訴狀，並讓被告有足夠的時間作準備。

3.2 要告知誰？

如果原告是對一個人提出訴訟，則告票只需要送到該名被告手上。如果原告對多個被告提出訴訟，則告票必須送到每一位被告手中。即使是夫妻，也要分別將兩張告票單獨遞送到他們個人手中。

如果被告收到告票，但沒有回應或沒有出庭，原告可以要求法官對這個被告做出缺席裁決。但是，如果這個案子中還有別的被告沒有收到告票，沒有出庭，那麼，法官無法對這些人做出裁決，法官的缺席裁決只對收到告票且缺席的被告本人有效。

3.3 如何傳送訴狀及告票？

一、對個人提出訴訟

要傳送訴狀給對方，最重要的是要知道對方的住處。有些時候，你只知道被告的郵政信箱地址(P.O. Box)。在這樣情況下，你可以到當地的郵

局填寫專門表格提出申請，向郵局說明情況並做出聲明保證，請求郵局提供被告的真實居住地址。根據美國行政手冊第 352.441(C2) 條的規定，如果出於訴訟原因，郵局必須提供被告的地址。此外，如果是車禍案件，你只抄下對方的車牌號碼，如果你要告對方的話，你可以到當地的汽車管理局 (DMV) 查出車主的姓名及地址。

一旦獲取到對方的地址後，你就必須安排傳送訴狀的手續。訴訟的傳送主要有以下幾種方式：

(1) 個人遞送 (Personal Service)。原告可以向法院諮詢法院是否有提供送訴狀服務。如果法庭提供庭警遞送服務，你必須支付一定的費用；你也可以請當地的縣或市警察遞送告票，你也要付費；原告還可以找到一些專業的遞送公司，這些私人公司收取一些費用後都會派專人替你送訴狀或傳票。有的州如加州、科羅拉多州、俄亥俄州等的小額法庭允許原告請與本案無關的，年滿十八歲的成年人遞送傳票。

需要注意：

A ． 由專人遞送告票時，不可以將告票放在被告的信箱裏或住所的門外。這種告票遞送方式是無效的。傳送者

必須確定接收者與被告本人的資料相符，且不能用強迫的方式迫使被告簽收告票。

B. 　如果遞送者確定找到被告，告知所送文件內容，但被告拒絕簽收告票，送件人可以將告票放在被告的住所門外，告票遞送有效。

在向被告遞送訴狀及告票後，傳送人必須要向法庭填寫傳達證明 (Proof of Service)，通知法庭及原告訴狀告票已送達。

(2) 　以掛號信方式遞送告票 (Certified Mail or Registered Mail)。原告可以要求法庭以掛號信方式寄送告票，法庭會收取額外的費用。不過，許多被告發現與訴訟有關的信件時，可以拒絕簽收這些掛號信。據統計，只有半數的人會同意簽收。

這種方式簡單便宜，但成功率不高。如果是採用這種方法遞送告票，信件由法庭寄出，原告未必知道對方有沒有在開庭前的規定期間內簽收。因而，在開庭前，你要打電話到法院的書記官辦公室諮詢，確定告票是否已被簽收，如果對方沒有簽收，你還需要找其他的辦法再向被告遞送訴狀，如時間不夠，你可以向書記官請求延期。

(3) 以一般信件方式寄送告票。這種方式只有幾個州採用，如紐約州、康乃狄克州等。

(4) 替代性方式遞送方法(Substituted Service or「Nail and Mail」)。當你使用過其他方式，花費許多時間和金錢仍未能將訴狀及告票遞送到被告手中，許多法院都可以採用替代性方式遞送方法，即遞送者確定被告的居住地址後，對被告一起居住的年滿十八歲的成年人講述文件的性質，將一份告狀放下來，隨後，你再郵寄一份訴狀及告票通知被告。在信寄出十天後，就確定傳送手續已完成。

二、對公司被告傳送訴狀及告票

(1) 替代性傳送(Substituted Service or「Nail and Mail」)。

是告公司最常用的遞送訴狀及告票的方式。傳送者在上班時間內到公司，或商店去，交給公司的相關人員，然後利用郵寄方式將文件資料寄到公司的地址即可。但是有些州不允許這種方式，事前可向法院查詢這種傳送方式是否可行。

(2) 個人遞送方式，如果對方沒有商店或公司對外開放的辦公室，你可以請人將訴狀及告票送到公司在政府註冊的傳票接收代理人

(Agent of Process Service)手上。

(3) 以掛號信的方式郵寄。但是公司主管未必會簽收。

需要注意的是，對公司進行起訴，法院的訴狀及告票要送到公司何人的手中才算有效？

- 對於個人的生意 (Sole Proprietorship)，法院文件要送到個人生意的擁有人手上。

- 對於合夥公司的生意 (Partnership)，法院文件要送到這家合夥生意的其中合夥手中。

- 對於有限責任合夥的生意 (Limited Partnership)，法院文件要遞送到負責公司運作的主要合夥人手中。

- 對於有限公司 (Corporation，營利或非營利)，或責任有限公司 (Limited Liability Company, LLC)，法院文件要送到公司的總裁、副總裁，財務主管或秘書長手中。

注意事項：如果被告收到法院文件後，認為有必要且有理由向原告提出反訴，則被告反訴狀和傳票的傳遞和上述程序一樣。所以，被告若提出反訴，必須抓緊時間。

第六章　被告的應訴之策

案例：

　　在一家中餐館做廚師的老田，有一天在上班時收到太太打來的電話，太太在電話中焦急地查問他，「剛才有二位穿制服的警察找上門，說要找你，講了一大堆英文，我也聽不懂，留下大堆英文文件，你究竟犯了什麼錯，為什麼警察會找你？」

　　正在忙碌中的老田也不知道什麼回事，因為他從來沒有和警察打過交道，根本也沒有做過任何錯事，連交通罰單都沒有拿過。

　　他也非常著急，馬上向老闆請假趕回家。在警察留下的文件資料中，的確有他的姓名。除此之外，他也讀不懂整份英文文件。他馬上去找律師，才發現原來是一份小額法庭的訴狀及告票，穿制服的警察是法庭送傳票的警察，他們並不是來調查或逮捕他，而是告知有人在法庭上告他，因為半年前他發生車禍，輕輕地撞到前面的車。

　　老田當時報告給自己的保險公司，保險公司的經紀人說保險公司會處理所有的事情，但是沒想到保險公司拒絕對方的理賠要求，而對方一氣之下告進法院去。

　　後來，根據律師的建議，他找到保險公司經紀，告知自己被告的事，保險公司表示因為是在小額法庭告，因而保險公司不能派律師代表出庭，老田必須自己去應付，但是，如果法庭

判罰老田敗訴的話，保險公司將會替老田付錢，或者再由律師出面替老田上訴。

老田倒覺得太麻煩，既然是自己的錯，爲何保險公司不賠對方就了事。但是案件已進入訴訟程序，老田唯有奉陪到底。出了庭，果然是敗訴。老田拿到法院的裁決後，交給了自己的保險公司，並且同時告知這家保險公司，他已找了另外一家保險公司。

我們華人都不太願意打官司。但是，在美國生活，即使自己不想打官司，有時也會被扯入官司來。一旦收到對方送來的訴狀及告票時，你應該如何應付？

第一節 收到訴狀及告票的回應

一般情況下，大部份小額法庭都不需要被告做任何書面回應，只需在開庭日出庭應訴即可。只要阿拉巴馬州、阿肯色州、康乃狄克州、愛阿華州、奧勒岡州則需要被告在收到傳票後的一定期限內要做出書面回應。

如果被告要求將案件轉移到普通民事法庭審理，需在收到告票後規定時間內提出書面轉庭要求。

如果你被告，並不是一定要出庭才能解決問題。在收到告票後，要仔細斟酌自己的案子，決定沒有必要和原告聯繫，爭取庭外和解。

如果你在收到傳票後，認爲是原告是惡人先告狀，你必須

及時提出對原告的反告 (Counterclaim or Defendant's Claim)。反告有一定的時間限制，一般是在收到原告的告票的十天到三十天之內就要向法院提出，否則你不能反告，也不能以後爲同一宗案件再以原告身份提出訴訟。當然，如果你是因爲另外一個與本案無關的案子向同一原告提出訴訟，則沒有此時間限制。因爲新的案件是一單獨立的案件。

第二節 避免缺席裁決

　　就如體育比賽一樣，參賽雙方都要到場，如果任何一方不到場，裁判可以自動裁定出場的一方獲勝，在法庭上，訴訟雙方都必須在指定的日期到場，如果任何一方沒有出庭，法官通常會裁決出庭一方勝訴。在下列情況下，法官可能會作出不同的決定：

　　一、如果原告出庭，而被告沒有出庭。在此情況下，
　　　　原告可以得到一個缺席裁決 (Default Judgment)。
　　二、如果原告沒有出庭，而被告出庭，法官有兩種選
　　　　擇：
　　　　(1)　法官直接撤銷原告的訴訟案件。法官可以暫
　　　　　　時撤銷此案但准許再訴 (Dismissal without
　　　　　　Prejudice)，那麼原告還有機會在時效期內之
　　　　　　內重新向法院提出訴訟。
　　　　(2)　法官在法庭上聽取被告單方陳述，對案子進

行裁決。如果被告對原告提出反告，法官可
以撤銷原告的訴訟，並裁決被告的反告成
立，而讓原來的被告獲取缺席裁決。法官可
以撤銷原告的訴案並不允許再訴 (Dismissal
without Prejudice)，屆時原告不可以對此案再
次提出訴訟。

三、如果原被告雙方都不出庭，法官可以將此案延期
審理，重新安排另外一個開庭的時間。

如何撤回缺席裁決？

一旦知道法院作出缺席裁決，沒有出庭一方如不接受缺席
裁決的話，必須馬上採取補救行動，否則，會失去取消缺席裁
決的機會。

要撤回法院的缺席裁決，你不能直接向更高一級的法院上
訴，或要求普通民事法庭來重新審理你的案件。你必須首先回
到原來作出缺席裁決的法庭，要求法官撤回其缺席裁決，程序
是先向法院的書記官填交「撤回法院裁決的動議」(Notice of
Motion to Vacate Judgment)。隨後，法院將會設定一個討論你
這一動議的時間。

屆時，你必須出席這一動議的聽證會，向法官解釋爲何
你要法官撤回他們對你所作出的缺席裁決。這些理由包括：

一、原告在傳送訴狀及告票時並沒有按照法院所規定
的程序去做，以致被告沒有親自收到法庭的傳
票，或根本不知道開庭的時間。被告在得知自己

被判定缺席裁決後，已儘快通知法庭的書記官，
並馬上提出撤消缺席裁決的動議。

二、被告雖然收到告票並知道出庭的日期，但是因為
有一些意外事件而無法出庭。在解決這些意外事
件後，已馬上通知法院並及時提出撤回動議。但
是，忘記出庭日期，要出差，旅遊等，都不是很
好的理由，因為你仍有機會與法院聯絡，請求
書記官更換出庭日期。

如果法官同意你的動議，他只能同意撤回缺席裁決的決
定，並不表示你就自動勝訴。在法官撤回缺席裁決後，法官可
能馬上進入審理程序，讓你和對方當堂對質，然後再作出裁
定。法官也可能確定另一個開庭日期，作延後審理。

第三節 訴狀及告票傳送有技術問題，該怎麼辦？

正如上一章所言，原告必須要將訴狀及告票送給被告，讓
被告知道他們已經被告並且要出庭。但是，小額法庭的案件中
最常見到的錯誤是傳送訴狀及告票的問題。例如，傳送人將資
料送給你的鄰居來轉交給你；或傳票送到你手上時太晚，已經
錯過當地小額法庭的開庭時間，或在對方送傳票時你人已在國
外等等，這些都是原告訴訟技術上的失誤，你可以利用作為辯
護的理由。

如果你發現對方傳送方式不當但你卻知道自己被告，你可

以和法庭的書記官聯繫，向書記官陳訴自己的理由，申請將案件延期、轉庭或撤案。如果書記官無法作主，你也可以在開庭當日，當面向法官提出要求，說明原告的訴訟技術錯誤，申請延期、轉庭或撤案。

最不明智的辦法就是，被告發現原告的訴訟技術失誤後，不做任何回應，不去出庭。因而，在開庭當日，法官知道被告收到傳票沒有出庭，會只聽原告一方的陳述，被告沒有陳述和解釋的機會，法官也不知道原告在傳送告票方面的錯誤，就可能對未出庭的被告做出不利的缺席裁決，你就可能要提出撤回動議。

第四節　如果被告認爲有辯護理由

被告有的時候認爲自己的確對本案負有一定責任，但對方提出的要求數額太大，不合理。這種情況下，被告最好和原告聯繫，商議賠償的金額，達成雙方都能接受的協議，爭取庭下和解，以節省雙方的時間和精力。

有的被告誤認爲，法官判我還錢，反正我沒有錢，誰也拿我沒辦法。小額法庭的裁決有效期相當長 (可參考附錄的各州情況)，有的長達十年。等到這一有效期失效後，債權人可以回到法院，要求法院重延有效期。因而，你現在沒有錢，不等於將來沒有錢。迴避問題不是解決問題的良策，當斷不斷，反受其害。如果現在不理會，小額法庭的裁決日後將困擾你的生

活及發展。

第五節 被告沒有理由爲自己辯護

如果你根本沒有理由爲自己辯護，對方也沒有訴訟技術的失誤，你最好還是和原告儘早聯繫，商討賠償金額，爭取和解。或者向法官說明自己的經濟情況，表示自己願意賠錢，但是沒有能力，申請延期或分期付款。法官在考慮到你的陳述後，可能會准許你以延期或以分期付款的方式償還債務。

不過，如果你覺得原告蠻不講理，取證不當，而希望由律師爲自己辯護伸冤；或被告對原告提出反訴，反訴金額超過小額法庭的最高上限，這時，被告可以向法庭書記官或法官要求，將案件轉移到普通的民事法庭審理。普通的民事法庭和小額法庭不同，審案時間會拖得更長，審理費用較高，取證更爲嚴格。但是你不在乎資金，而不想太麻煩的話，可以向民事律師請教，讓民事律師來替你辦理這些轉庭事務。

第六節 以其治人之道，反治其人

如果你認爲原告是無理取鬧，惡人先告狀，而且自己有充足的理由告對方，在收到告票後，你要抓緊時間，反告原告，將反訴狀及時提交法庭，並按程序將反訴狀及告票遞送到原告

手上。

第七節 和原告當庭對質

你認爲自己沒有責任，有充足的理由爲自己辯護；或者對方提出的賠償金額太過分，無法在庭下達成協議和解，這時就要做好當庭對質的準備。

- 首先，你要檢查原告是否在時效期之內提出訴訟；
- 其次，要考慮原告訴訟狀中所有的訴訟是否屬實，是否有法律依據，是否有證據；
- 然後，要總結自己的理由，收集對自己有利和對原告不利的證人和證據。
- 最後，被告出庭前，請家人或朋友幫自己預演法庭審理過程，練習回答法官可能的提出的問題，熟悉案件，條理清晰地陳訴自己的理由。

如果你眞的要出庭，你可以參考下一章的相關內容。

第七章　當庭對質

案例：

　　老王與小吳在中國大陸就是好友。五年前，老王和小吳都在洛杉磯居住。小吳決定回大陸發展，而將自己的一些家當委託老王看管。除了家俱及電器外，小吳還有一些電腦設備，反正老王仍是單身，可以用得著自己的一些東西。不過，等他回美時，他仍希望能拿回來使用。

　　二年過去了，老王也和另一名他們都相熟的女子結婚。老王和新婚的太太買了屋要搬家。老王打電話找小吳，問小吳該如何處理留放在他家裏的東西。小吳在中國大陸的生意得不錯，他也無意馬上回美生活，便囑咐老王將他的所有東西賣掉，然後將錢匯回中國大陸。

　　老王的太太覺得小吳的一些東西還可以用，倒不如自己留下來用。老王也就沒有再與小吳商談如何處理他委託的東西。不過，幾個月後，小吳因為生意上的一些問題和老王鬧翻了，小吳要求老王將他的東西退還，或者要付錢給他，因為所有東西計算起來值四千多元美金。

　　老王覺得小吳不可能專程為此事趕回洛杉磯要錢或要回東西，便不再理會此事。沒想到二年後，小吳遷回洛杉磯居住，他和老王一樣從事同類產品的進口而成為直接的競爭對手。

　　小吳決定用法律手段來懲罰對方。於是，他向小額法庭告

老王侵佔他的財產。剛好審理該案的法官是一位義務到法庭幫忙的律師，這位臨時法官剛剛開始幫忙，審理起來並不熟練。在庭上，老王承認自己曾答應將東西賣出去，然後將錢匯到大陸，但是後來留下來自己用時，小吳並沒有反對，曾表示將這些東西讓他們用，作為結婚禮物。

老王找來他的太太作證。王太太作證說，小吳多次在電話上問過她，問沙發等東西用起來是否適用，她的理解是小吳問她是否喜歡他所送的禮物。聽到這，小吳變得很氣憤，因為他這樣問是因為王家遲遲不提他們如何處理他的東西問題，而他不過是在暗示提醒而已。還不等王太太說完，小吳馬上打斷她的話，高聲地說：「法官大人，她在說謊，她所說的正與事實相反！」

法官並不理會小吳的反對，反而板起臉說：「剛在剛開庭時不是跟你講過，在別人說話時，你不能打斷對方，你自有機會辯解！」

正在此時，小吳隨身帶的手機響起來。小吳正在等候一個大客戶的電話，他馬上接電話，想跟對方說自己在庭上不方便講話。沒想到，法警走上來，一把將他的手機拿走。原來已準備妥當的小吳，一下子亂了陣腳。

法官對小吳在庭上使用手機的做法已頗為不滿，就找出一個理由，說為何要等這麼久才採取行動，他的訴訟已錯過了訴訟的時效期，而將小吳的案件撤銷。

就這樣，小吳不單只輸掉自己以前的所有東西，而且還賠進自己的新款手機及一宗大生意。

第一節 出庭前準備

通常，很多中國人都害怕打官司，對出庭感到頭痛，到了
法庭，焦急不安，不知如何是好。特別是剛剛移民來的中國
人，語言的障礙、文化背景的不同、法律常識的缺乏，更使得
出庭二字顯得高深莫測。對薄公堂，對新移民是很大的挑戰。

可是在美國的工作生活中，有時為保護自己的權益，不得
不將別人告進法庭，討回公道，為自己爭口氣。或者不小心被
別人告了，也有可能會碰到。每個人都非常有必要瞭解法庭的
一般審理程序，學習一些法律常識，做好充分的心理準備，減
輕思想壓力，對自己出庭勝訴有很重要的幫助。

1.1 小額法庭上的翻譯

對於華裔新移民來說，最首要的就是翻譯問題。在美國，
只有刑事法庭要求法庭必須向被告提供免費的翻譯服務。民事
法庭則無此要求，如原告或被告雙方不懂英文，必須自己花錢
去請法院認可的翻譯官。小額法庭對翻譯人士並沒有資格方面
的限制，當事人可以花錢請法院認可的翻譯官，也可以讓自己
懂英文的親屬朋友幫助翻譯，翻譯人員並不需要法庭的翻譯官
資格認證。

1.2 小額法庭提供的法律諮詢服務

美國許多州的小額法庭為方便民眾使用小額法庭，而設立
專門部門免費提供有關小額法庭訴訟的法律諮詢服務，向民眾

解釋如何填表、解釋訴訟的程序、指導如何對案件做出準備。加州的各個縣法院系統都設有所謂的小額法庭顧問，如果你住在加州的話，你可以向這些機構諮詢。不過，並非每個州都有這種免費服務。

1.3 是否可以有律師代表？

許多州的小額法庭規定，原告及被告雙方都必須親自出庭，而不可以由律師代表客人處理案件。沒有律師的參與，對原、被告雙方都公平。

有的州允許律師代表客人，但由於小額法庭的訴訟案件涉及金額較小，而請律師的費用相對於太高，是否值得請律師，當事人往往會仔細斟酌。

此外，小額法庭的證據採納標準不同於普通的民事法庭。小額法庭並沒有嚴格的規定，雙方可以像講故事一樣陳訴自己的立場及理由，一些在普通法院不可能採納的道聽途說證據，都可以在小額法庭成呈堂公堂。因而，不需要請律師為自己的證據作調查，這也是小額法庭訴訟案件不需要律師的原因之一。

另外，小額法庭的案件審理程序非常簡單，給原告、被告雙方的陳述時間很短，經常是雙方各自只有五到十分鐘，如果請律師代表而律師並非當事人，未必對案件瞭解非常透徹，不一定在如此短的時間內將事情敘述清楚，當事人本人可能對案子講解得更為清晰，這是不需律師代表的另一個原因。

沒有必要請律師出庭代表，但是有時當事人對案件的分析

不清楚，或者對有關的法律條款、法令法規不瞭解，在出庭前可花一、二百元的費用向律師諮詢，請律師審閱自己的案件，解釋有關法律條款，對案件的準備和取證做出建議。這種做法是合法的，並且如果對法律不清楚，也是必要的。

1.4 法院的地點和開庭時間

在向小額法庭的書記官處遞交訴狀時，你就要問清楚究竟該案會在哪個法庭審理。因為小額法庭的案件較多，案件較小，有時會被安排在不顯著的地方審理，一定要事先知道確切的審案地點，千萬不要想當然。如果你是被告，收到傳票後，你要提前查詢清楚出庭的詳細地點，不可以在出庭當日，匆匆趕到，萬一找不到法庭或遲到，耽誤出庭，會對自己造成無謂的麻煩，法官在開庭時會誤以為你沒有出庭而作出缺席裁決。

小額法庭的時間安排也和普通民事法庭不太相同。有的小額法庭審理時間有時段性，要問清楚在哪個時段會審理自己的案件，這樣既不會誤時又不會讓自己和證人等待過久的時間。

第二節 法院的組織結構

法官

法官往往穿著黑袍子，坐在比別人座位更高的法官席上。法官可以是正式法官 (Judge)，即此人為民選選出或州長任命的人士；可以是法庭聘用法官 (Referee or Commission-

er)，他們受雇於法庭；還可以是臨時法官 (Judge Pro Tem)，經常是由律師義務擔任。

臨時法官必須要得到原、被告雙方的書面同意，才可以開始案件的審理。有些時候，做為臨時法官的律師沒有很多的案件審理經驗，可能對某些案件的審理有偏差。如果是自己的案件很複雜，原、被告有權要求不讓臨時法官來審理，而要求更換法官或聘用法官來審理自己的案件。

對於某些法官或聘用法官，如果原、被告有理由認為該法官可能會對自己的案件有偏見或不公，你可以事先向法庭的書記官要求，更換其他法官，或者在法庭開庭時，當庭提出更換法官。提出更換法官時，你必須有一定的合理依據，但沒有要求必須對自己的理由做出詳盡的解釋。

書記官

書記官 (Clerk) 坐在法官的前面或一側，是法官的秘書及助理，幫助安排案件的審理次序和程序，對案件的裁決做記錄。

庭警

庭警（Bailiff）坐在或站在法官的一側，幫助轉遞證據，維持法庭的秩序，保護法官及法庭所有民眾的安全。如果有人不服從法官的命令，庭警有權驅逐或逮捕此人。

原告及被告

　　原告和被告在本案開審前，坐在法庭後部的聽眾席，當書記官叫到自己的名字時，才可以走過聽眾席前的圍欄，坐在法官對面的桌子後面。

證人

　　證人在本案開審前，也坐在法庭後部的聽眾席，當書記官叫到自己的名字時，才可以走過聽眾席前的圍欄，坐在法官對面的桌子後面。在很多小額法庭，證人都不必坐在法官旁邊的證人席，可以和原告或被告站在一起，面向法官作陳述。

第三節 案件的審理程序

　　在法官開始傳呼到你的姓名時，原告和被告都必須站立在法官前，面對法官而進行如下程序：

一、**宣誓**：通常是書記官讓原、被告雙方及證人集體宣誓，保證自己在法庭上所述情況屬實。有的時候，法庭會要求每個人單獨宣誓。

二、**原告陳述**：原告開始陳述自己的故事，說明訴訟的原因、糾紛發生的經過、時間地點、提供自己的證人和證據，包括賬單、收據、合約、照片、書信及估價單等。

三、**被告陳述**：被告開始陳述自己的故事，糾紛的時

間地點經過，辯護的理由，提供自己的證人和證
據，包括帳單、收據、合約、照片、書信及估價
單等。

3.1 原告陳述時

首先，原告要起立，站著講述自己的證詞。原告需開門見
山地陳述自己案件的內容、事件發生的時間、地點、經過和結
果。

在講述自己的證詞的時，原告可以一邊講述一邊向法官介
紹證人，並向法官呈交證據。原告不可以將證據直接交給法
官，需要遞給庭警，由庭警交給法官。

原告的語言要簡明扼要，不要照本宣科，讀原來已經寫好
的證詞，要重點突出，證據適當，不要事無巨細，讓法官感到
難以理解，枯燥乏味。

3.2 被告陳述時

首先，不要打斷原告的陳述，讓原告或其證人講述自己的
證詞，自己冷靜準備回應的理由，在輪到自己陳述的時候再發
言。

你可以提供照片或利用法庭的黑板畫圖，向法官解釋自己
的案子，使案子更加清晰。如有證據要交給法官查看，同樣可
以透過庭警將這些證據交到法官手上。

最後，被告不要和原告在法庭上爭議一些既成的事實，而
要集中精力在一些對自己有利，尚有爭議的問題上做文章，想

辦法讓法官對自己作出有利或從輕的裁決。

此外，法庭裁決後，勝訴的一方不要忘記向法官提出敗方支付自己訴訟費用的要求，要求敗方支付所有的訴訟費用，包括法庭的審理費用和告票遞送的費用等。法官非常忙碌，如果你不提醒的話，有可能將你的這筆錢遺忘掉。

3.3 法庭上的禮節：

法庭是解決糾紛的文明處理方法，因而，在出庭時，應注意下述禮儀細節：

一、在對方陳述時，不要打斷對方的講話，更不要打斷法官的問話。要留心對方的陳述，認真記錄，並思考自己的辯護理由，不要聽到對方在撒謊，就立即揭穿，和對方爭吵起來。要在自己陳述時以事實和證據揭穿對方的謊言。

二、對法官、書記官和庭警要彬彬有禮，對法官要稱呼 You Honor。要保持冷靜，不禮貌和過激的行為都會傷害自己的形象，讓法官對自己反感，對自己的裁決不利。

三、陳述要簡明扼要，不要拖延太長時間。在小額法庭上，雙方各自只有五分鐘到十分鐘的時間。你必須爭取用簡短的語言將事實經過和時間地點敘述清楚，清晰陳訴自己的辯護理由，不能囉哩囉嗦，牽強附會，要有效利用時間，節省法院每個人的時間。

四、進法庭時，要將隨身的手機或傳呼機關上，不要
　　在法院內戴帽子，不要在庭內閱讀報紙或書籍，
　　不要吃口香糖，穿著要整齊。

第四節 善於利用證人

　　小額法庭上，原告與被告往往堅持自己的立場，就如一場
拔河比賽一樣。法官就如比賽中的裁判員一樣，他們會根據雙
方的陳述來作出裁決。在公說公有理，婆說婆有理的情況下，
多一位可信的證人就多一份力量。

4.1 證人的種類

　　直接證人：對事件有直接認識和瞭解的證人。如事件放生
時的目擊人、合約簽訂時此人在場、此人看到車禍等傷害事故
的發生。

　　專家證人：並沒有直接目擊事件發生過程，但此人有某方
面的專業知識，可以以自己的專業知識對案件做出分析和結
論。如某人在從事汽車修理業多年，對汽車的故障瞭如指掌，
雖然沒有看到車禍發生，但可以確定汽車的受損原因和估價。

　　在法庭上使用證人要注意以下幾個方面的問題：

一、證人的信用度非常重要。如果證人是穿著制服的
　　警察，則讓人感到非常信服。在準備證人時，不
　　妨對證人的背景和信用度事先做一定的瞭解。

　　很多人對什麼樣的人可以成為證人有一定的困惑，例如，自己的親人家屬或朋友可不可以為自己作證？如果作證，法官會不會認為他們在偏袒自己？在法律上是允許原、被告的家人和朋友出庭作證。特別是小額法庭的糾紛，往往最瞭解案情的證人就是自己的親人和朋友，在這種情況下可以請他們出庭作證。只要證明的是事實情況，就可以使法官相信。

　　另外，小額法庭的證人沒有年齡的嚴格限制，低於十八歲的未成年人也可以出庭作證。

二、當事人要對證人和證據都做好準備工作。在出庭前，原告或被告和證人見面討論案件是合法的，當事人要知道證人對事件瞭解的程度，要讓證人知道自己的立場和需要，使證人瞭解在法庭上需要在那些方面作證。但是，教唆證人做偽證、鼓勵證人撒謊、扭曲事實、誇大事實，則是違法行為。

三、在法庭上，除非自己知道證人可能的答案，否則不要冒險，隨意向證人提問，萬一證人的回答對自己不利，但話已出口，悔之已晚。

四、向專家證人提供合理的出庭費用是合法的，不是在收買證人。如修車場的修車工人對原告或被告的汽車作了檢查，並在工作時間出庭作證，是可以收取一定的合理的費用。一些事件目擊的證

人，因為出庭作證而誤工，證人的交通費，或由
於其他的一些原因，也可以要求收取一定的合理
的費用。原告和被告在請人送傳票時，要事先準
備好這筆費用，在送傳票的同時將費用交給證
人。

五、使用傳票傳呼證人出庭，最好是得到證人的同
意，瞭解到證人的立場，才傳呼這個證人出庭作
證，否則，如果不與證人溝通而透過法院的強制
性傳票來強迫證人作證，說可能會引起證人對自
己有敵視，從而會對自己的案件非常不利，弄巧
成拙，得不償失。

4.2 證人的傳呼

如果你想請證人出庭，但是又擔心他們在開庭日不出庭，
你可以向法庭申請證人傳票(Civil Subpoena，參閱第十號表
格)。證人收到傳票後，可以用證人傳票向老闆請假出庭作
證。證人傳票是屬於法院的出庭通知，有強制性出庭的要求，
如果證人在當日不出庭，法官有權利要求庭警強制性帶證人出
庭，或者裁定證人藐視法庭而簽發逮捕令，所以，如果證人收
到證人傳票要慎重對待，不可忽視。

原告及被告都可以向法院申請證人傳票，具體手續是：首
先向法院的書記官索取傳票申請表格，填寫後要準備一份原
件，兩份複印件。接著，將表格遞回書記官，請書記官蓋上法
院的印章，然後，按照法院遞送傳票的程序向證人遞交傳票，

在證人收到傳票後，傳票遞送人必須向書記官遞交「傳送證明」(Proof of Service)，該表一般是附在傳票的背面，證明傳票已送達。

如果某個警察局的警察對此案件瞭解，也可以被傳呼做為證人出庭作證。填好對警察的證人傳票後，要首先拿到警察局，提出要求，向警察局支付警察的工作時間費用，一般是交定金。如加州定金為$150，如案件審理迅速，定金沒有花完，警察局會退還當事人。警察局要確定有足夠的時間準備，才可以接受傳票。如加州規定是出庭前五天，就必須將傳票送到警察證人手上。

4.3 證人傳票的傳送

證人傳票的遞送不可以採用郵寄的方式，必須是個人親自遞送。可以由庭警、警察或遞送傳票公司遞送，也可以是與本案無關的成年人，或者傳呼證人的原告或被告本人親自遞送。證人傳票的傳送方式與訴狀及告票的傳送方式大同小異，較為不同的是，當事人可以本人親自送證人傳票給證人，而不能親自送訴狀及告票給對方。證人出庭作證的費用大約在$40到$100間，如果是請人遞送證人傳票，同時要先將這筆費用預先交給送件人，在送傳票的同時交給證人。如果證人不收費，費用退還當事人。

注意：證人如果沒有辦法在開庭日出庭作證，可以請證人做出事實聲明文件。為慎重起見，可以將聲明文件公證。若證人是只講中文的中國人，可以用中文寫聲明，然後到公證翻譯

公司翻譯並公證。

證人傳票需要在規定的時間內遞送到證人手中，每個州的規定不一樣，約爲五天到三十天，需要查詢當地小額法庭規則。有時周末和假日也計算在內，所以，要儘快遞送。萬一來不及送達，需要和法庭書記官聯繫，申請將案件延期。

不過，如果你覺得有很大的把握能請證人在出庭日到庭作證，就可以免去傳呼程序。如果眞的要花錢請人傳呼證人，將來在法庭上勝訴後，可以要求法官將傳票遞送費一起判還。

第五節 傳呼文件

對於一些證據文件，也可以通過法院的傳票得到。如警察局的報告、醫院的診斷、電話公司的賬單等。如確定這些文件是自己有利的證據，可以要求法庭發傳票，在法庭的允許下，強迫文件的擁有者提供文件。「傳呼文件令」英文爲 Subpoena Duces Tecum (參閱第九號表格)。這種傳票和其他證人傳票相似，不同之處在於這類傳票上必須對自己所需的文件做出描述。

申請文件傳票時，首先填寫文件傳票，準備一份原件，兩份複印件。接著，遞交法庭書記官辦公室，當事人要做出聲明，宣誓爲什麼需要這些文件，聲明如果自己作假，將被起訴作僞證。請書記官蓋上法院的印章，然後，按照法院遞送傳票的程序向文件擁有人遞交傳票。送到後，也要向書記官遞交

「傳送證明」(Proof of Service)，該表格一般附在傳票的背面，證明傳票已送達。

文件擁有人並不會將文件直接寄給當事人，而是將文件寄給法院。在開庭時，原告或被告可以向法官要求看文件內容，法官會同意當事人閱讀文件，如果時間緊迫，來不及審閱，法官會將案件延期，給當事人足夠時間審閱文件。

找出文件保管人非常重要，否則，將無法找到文件。例如，當事人需要當地圖書館的借書記錄，不能送傳票給當地的市長，而可能要送傳票給當地圖書館的館長，索取借書記錄。

第六節 書面證據及其它證據

在某些情況下，證人不能出庭作證，就需要證人作書面證詞。小額法庭的證據採納標準比普通民事法庭的低，小額法庭在證人無法出庭的情況下，都會接受書面證詞。書面證據又分直接證人及專家證人的書面證詞這兩類。

直接證人書面證詞：必須列出證人的姓名、地址、聯繫電話以及書面證詞的簽字日期，證詞內可以詳細解釋事情發生的時間、地點和經過，以及自己對這些事件的觀點。

專家證人書面證詞：必須證人的姓名、地址、聯繫電話，最好能在證詞中寫明專家證人的教育背景、工作經歷，證實此人專長所在以及專家所作的檢查項目、診斷和評估，以及專家的建議和結論。

電話作證

　　如果證人為病人、殘障者、活動不方便的老人，或人在很遠的地方無法趕到，可以向法庭書記官申請電話作證方式。若書記官不同意，應事先請證人做好聽電話的準備，在開庭時直接向法官提出要求，在法官允許下，可以在法庭上當時打電話給證人，在電話中為自己作證。電話作證最重要的是要事先安排好證人在開庭時有聯繫電話。

第八章 法官的裁決

案例：

　　老董在中國大陸時曾是工程師，後來參加訪美團時脫團留在美國。在過去五年中，他花了大筆錢才將身份辦下來。他曾為了賺錢辦身份而做過餐館、做過機場接送，後來還是選擇自己曾在大陸學過的營建工作，替客戶修理房屋或改建裝修。

　　他工作認真，手工不錯，但是英文一直跟不上，在過去幾年只能在老中社區跟同行在價格上拼搏，總是無法有新的突破。後來，經朋友的介紹，他認識一位名叫邁可的年青人。這位年青人自少在美國長大，英語講得非常流利，大學剛畢業，正在找工作，由於學的是商科，找起工作來比較困難。

　　邁可來之前是與老董是同鄉，所以認識不久也談得來。後來邁可發現老董的手工精巧，客戶都很滿意他的裝修服務。他便提議和老董合作，成立一家合夥公司，一起去做老美的生意。老董覺得這個計劃非常不錯，反正老中社區的裝修生意越來越難做，做老美的生意比較容易些，而邁可的英文好，頭腦又靈活，合夥做生意可以相輔相成，便答應下來了。

　　邁可成立了合夥公司，他負責招攬老美的生意，而老董只顧裝修的活。合作一年多，生意做得不錯。不過，後來邁可的沖勁沒有以前那樣強，公司的許多工程收到的訂金都沒有算入公司的賬內。打聽一下，才發現最近邁可交上一位女友，這位

女友喜歡賭博,整天拖著邁可上賭場。

後來,老董發現這樣合作下去會將他拖累,便決定解散合夥公司。在公司解散後,他以為再也沒有頭痛的問題。不過,半年後,他收到法院寄來的裁決,原來邁可曾以合夥公司名義收下別人的裝修工程訂金,他收到錢後並沒有交回公司,而老董根本不知道這回事。後來客戶告到小額法庭,老董曾收到法院的告票但誤以為是公司解散的資料而沒有理會。

等他收到法院的裁決時,他才知道法院裁定他和邁可要退還四千元訂金給客戶。他想找邁可商討解決的方法時,邁可稱他已宣佈破產,根本沒有錢可還。老董自認倒楣,向對方表示自己願意付$2,000。但是,對方並不接受,而堅持老董要支付全部的 $4,000。

老董認為原來的公司本來就是他與邁可各占一半的股份,他已答應付自己的一半,對方就根本沒有理由要求他一個人承擔起全部債務。老董覺得對方的要求太不合理,但請教律師。沒想到律師看完所有的資料後,無奈地表示,法院的裁決是屬於共同承擔全部責任的裁決,對方可以向任何一位有錢的被告承擔所有的責任。

為了避免麻煩,老董唯有支付所有的債務。

法官在聽完原、被告雙方和證人的陳述後,通常情況下,已經對案件做出裁定。但是,法官不一定會當庭宣佈。原因有幾種:一是法官還需要更多時間考慮案件;二是如果當庭宣佈結果,有的當事人會對判決不滿,做出過激的反應,影響法庭

的秩序；三是法官會考慮到當庭宣佈，會使敗訴方非常難堪，顏面喪盡。因而很多情況下，雙方陳述完畢，法官會讓原、被告雙方回家等法院通知結果。通常兩三個星期後原、被告才會收到法院的裁決通知，所以，對小額法庭的訴訟要有心理準備，不一定會當庭得到結果。

有的原告和被告在等待結果期間，千方百計收集更多的證據，或寫信對案情進行進一步的補充，和法庭書記官聯繫，要求法官審閱補充材料。其實，法官在庭上已對案件做出決定，很難有時間和精力再次重新考慮審過案件，當事人在等候過程中補充材料往往無濟於事。

第一節 缺席裁決(Default Judgment)

有時，當原告來到法庭，高興地發現被告沒有出庭，原告有權要求法官做出缺席裁決。

首先，原告要向法官證明傳票已經按法院規定的程序送達被告手中，並提供有關證明文件。然後，原告向法官簡單陳述自己的案件內容，事情發生的經過時間地點結果，並向法官提供有關的證人證據，如合約、收據、照片、估價單等等，以證實自己訴訟的真實性。法官會補充提問一些問題，法官如果確定被告已收到按法律程序遞送的傳票，但沒有按時出庭，會假定原告所陳述的都是事實，並做出缺席裁決的決定。

被告沒能及時出庭，而被裁定缺席裁決，在得情後必須儘

快向法院提出動議申請，要求撤消裁決結果。被告必須有充分的理由，說明自己沒有出庭的原因，才有可能爭取到重新聽證的機會。

第二節 公平裁決(Equitable Relief)

法官可以採取一些強制性行動來能解決糾紛，以使案件有一個公平的裁決。公平裁決主要有四種方式：

一、**取消合約** (Rescission)：如果對方以欺詐手法騙取合約，或一方有強 迫行為，或有隱瞞實情，法官可以據公平原則取消合約。

二、**退還財物** (Restitution)：如果法官認為被告不當地擁有他人的財物，法官可以要求被告將不當擁有的財物退還，以補償受害人的損失。

三、**更換合約** (Reformation)：如果法官認為簽約一方誤會另一方的意思，而簽署的合約內容並沒有反映出雙方原來簽約的意願，法官可以修正合約的內容以正確反映雙方的意圖。

四、**強制執行** (Specific Performance)：如果合約所涉及物品十分獨特，市場上再也找不到別的東西可以替代，法官可以作出強制執行的判決，要求被告將此獨特物品出售或歸還給原告。

此外，法官還會作出一些條件性的公平裁決，而這些條件性公平裁決一般都會結合一般的金錢賠償及以上四類公平裁決。

第三節 債務人的共同責任

在法院作出裁決後，勝訴方成為法律上的**裁決債權人** (Judgment Creditor)；敗訴方成為法律上的**裁決債務人** (Judgment Debtor)。

如果敗訴的債務人是多位，法官沒有在裁決上說明每一個債務人的具體賠償金額或賠償比例，那麼原告有權向任何一位債務人追討全部的債務 (Jointly severally liable)。例如：法官裁決老張和小王敗訴，共同欠老馬$3,000。老馬向老張及小王討錢，老張根本沒有錢，又沒有財產，也不工作，只能賠償老馬$500，小王有工作有錢，老馬可以要求小王賠償全部$2,500的餘額。

第四節 分期償還債務

有的當事人承認自己的債務，也有意償還，只是無法立即全部還清，可以在法庭上向法官提出申請，表明自己同意還錢的態度，並向法官解釋自己的經濟情況，請求法官准予自己分

期償還債務。

有時在收到法庭裁決後，敗訴方感到自己無法一次將債務還清，也可以向法院的書記官辦公室聯絡，填寫表格，提出修改裁決的要求，申請分期付款償還債務。若書記官無法做出決定，或無權更改裁決，可以安排時間，讓債務人與法官見面，直接向法官提出這一要求。法官在考慮到債務人的經濟狀況後，有時會修改裁決，同意債務人的分期付款要求。

第五節 通過法院轉交債務

有的債務人在打官司後，不願再和債權人直接聯繫，或不願對方知道自己的地址等個人情況，在這情況下，他們可以將欠款交給法院，再由法院將欠賠交給債權人。要這樣做，必須先與法庭的書記官聯繫，填寫表格，辦理申請手續。

第六節 債務還清後的結案手續

6.1 做為債權人

當債務人按照裁決結果將債務還清，你必須填寫表格「裁決完成證明」(Satisfaction of Judgment)，債權人在此表格上簽字，收到全額的在十到三十天內將表格遞交法庭的書記官辦公室，表明債務已清。這樣，信用調查公司就會將這筆債務

的記錄取消，不會再影響債務人的信用。如果債權人原來在債務人的房產或其他產物上有抵押狀，在向法院遞交這份證明後，法庭將出具結案證明，債務人可以拿此證明取消債權人原來的抵押狀。

萬一債務人將債務償還清楚後，債權人拒絕在債務清除證明表格上簽字，或者忘記在證明表格上簽字，未能及時遞交法庭，使債務人的信用受損，造成損失，原債權人要承擔責任。原債務人可以因此對原債權人向法院提出起訴。

因而，債務償還清楚後，債權人要及時在表格上簽字，及時上交法庭。

6.2 做為債務人

如果原債務人按法庭裁決規定，付清所有債務，原債權人卻沒有辦理手續，將證明債務已清的證明表格遞交法庭，原債務人又找不到原債權人，原債務人需要到法庭，向書記官提交自己債務已清的證明，如原債務人的收據，銀行轉賬證明，銀行退還的支票等，並做宣誓聲明：何時付錢給原債務人，償還金額，曾於何時要求原債務人填寫債務已清證明。並將此聲明附上自己的證據文件，上交法庭書記官，法庭書記官在核實後會出俱證明，說明原債務人債務已清。

第九章　上訴

案例：

在第七章所提到的小吳委託老王照看自己的東西，但是老王家不退還他的東西，他要求老王賠錢或退還東西，但是由於法庭上的表現，法官不單裁定他敗訴，而且命令庭警將他的新款手機沒收。

在法院作出裁決後，他再去找上訴的理由。經過一番努力，他發現這位法官有多處是錯誤的，其一，這位法官是臨時法官，他當時並沒有被告知他有權利拒絕，而選擇一位全職的法官；其二，這宗案件涉及到合同協議，時效期應該是二年，他是在二年內提出來的，所以法官所指的錯過時效期是不正確的。

小吳花了許多時間為上訴作出準備。但是當他回到法院遞交上訴請求時，法院的書記官說，這宗案件不能上訴，因為小吳是原告，並且是敗訴方。加州法律規定，如果原告提出訴訟而被判敗訴，敗訴方不能提出上訴。

每個州的小額法庭有很多規定大同小異，但對於原、被告收到法院裁決後，不服從裁決，要求上訴，卻有很多不同的規定。

康乃狄克州、夏威夷州、密西根州、北達科塔州、南達科

塔等州，小額法庭裁決的訴訟案件是不允許上訴。

在紐約州，小額法庭法官的裁決可以上訴；但對於仲裁結果不可上訴。

在加州、麻薩諸塞州，只允許小額法庭的被告方上訴，原告不能上訴，除非原告在法庭上被對方反告而原告在反告中輸掉。

在賓西凡尼亞州、德克薩斯州，小額法庭的原、被告任何一方對裁決不滿，都可以提出上訴。

威斯康辛州，佛蒙特州上訴後將在普通法庭重新審理案件，但上訴理由是所依賴的法律條款有誤或法官解釋法律不當，不能以事實不符爲上訴理由。

因不同州的小額法庭對上訴的規定迥異，當事人要向當地小額法庭諮詢有關上訴的具體規定。

上訴的程序

一、在收到法庭的裁決後，如果對裁決不服，要儘快提出上訴。如加州、紐約州、俄亥俄州都必須在收到裁決後三十天之內，向法庭書記官提出上訴要求。麻薩諸塞州、德克薩斯州、維吉尼亞州，必須在十天內提出上訴要求。華盛頓州、羅德島必須在兩天內提出上訴。

二、對於上訴的費用，各個州的小額法庭有不同的規定。有些州要求上訴方購買保證金，保證如果案件敗訴後會有錢償還勝訴方。

三、上訴後案件轉庭到普通民事法庭。普通民事法庭的審理程序，和小額法庭的類似。不過，原告或被告雙方可以請律師代表。

四、如果是缺席裁決的結果，不可以直接提出上訴，必須先向法院提出動議，取消缺席裁決，重頭開始審理並得到裁決，在法官作出裁決後，才有機會進入上訴的程序。

五、如果上訴後仍舊敗訴，有的敗訴方仍要求繼續上訴，可以向法庭申請特別令 (Extraordinary Writ)，繼續上訴。根據前兩次法庭的審理敗訴經過和判罰的金額，要求繼續上訴的人為數很少。

第十章 如何執行裁決？

案例：

　　住在舊金山的張太太，十多年前曾在洛杉磯住過，後來搬到舊金山並在當地購買了房屋。在搬離洛杉磯前的幾天，她不小心開車撞到別人，幸撞得不是很嚴重，對方拿了資料就離去。

　　到了舊金山後，她才發現自己的汽車保險前一個月就失效，但是後來聯絡不上對方，又沒有收到對方的電話。她以為這宗事故就不了了之。

　　十多年後，她的小孩子都長大了，她想搬到一個老人公寓去而準備將房屋出售。但是，房地產經紀發現，有人在她的房產上放置了產權置留狀，如果要將房子出售的話，一定要解除產權置留狀。

　　張太太百思不解。她來美國後一直做事都很小心，從來都沒有惹過官司，怎麼可能會有人因為官司的原因在她的房產上放置產權置留狀。

　　她去請教律師，才發現這是十多年前的車禍案件所留下的後遺症。原來對方將她告到法院去，而她已搬走而沒有收到通知，對方在獲取到缺席裁決後就在她的所有房產上都放置產權置留狀，以致她的房產無法順利出售。

　　張太太唯有聘請律師，請私家偵探找到原來的債權人，與

對方商討並支付大筆賠償金，才將產權置留狀解除。

第一節 何時可以執行裁決？

在小額法庭的法官對案件作出裁決後，原告及被告收到法庭的裁決後的十天到三十天後就可以開始執行法院的裁決。

如果是缺席裁決，一般法院要等到對方得到法院裁決通知，在法院規定的時間內沒有提出撤回裁決的動議，才可以對其開始執行裁決。

第二節 如何執行法院裁決？

在接獲法院的裁決後，勝方 (債權人) 可以直接和敗方 (債務人) 聯繫，商討債務的償還事宜。如果找不到債務人，可以通過追債公司為自己討債。追債公司一般可以用分成的方法來替你討債，但它們可能收取追回資金的百分之三十到百分之五十作為其服務費用。雖然法院有權力和義務裁決債務人償還債務，但是法官無法直接為債權人討債。

法院在裁決敗訴方償還債務時，往往一起寄上「債務人財產證明」(Statement of Asset 參閱第十七號表格)，要求債務人如實告知自己的銀行存款和其他財產。如果債務人不填寫證明或拒絕付錢，債權人可以向法院要求進行債務人審查聽證會

(Debtor's Examination or Order of Examination，參閱第十九號表格)。審查會的傳票遞送遵循小額法庭的傳票遞送程序。如果債務人收到傳票後沒有出席審查會，債權人要向法官要求簽發逮捕令，任何執法人員找到債務人時可以逮捕他，而強迫其出庭。

除此之外，還有以下一些合法的手段可以讓債務人履行法院的裁決：

2.1 房地產產權置留狀 (Property Lien)

如果債務人不肯償還債務，債權人可以先調查債務人的財產情況，如果發現債務人有房地產的話，可以到當地政府部門的縣書記處 (County Recorder)，在債務人財產上作產權置留狀 (Lien)。債務人日後如果出售這份財產或進行重新貸款，必須首先與放置產權置留狀的債權人將債務清理，解除產權置留狀，才可以出售或重新貸款。

要在債務人的房地產放置產權置留狀，債權人必須首先到法院要求一份裁決令 (Abstract of Judgment，參閱第十二號表格)，然後拿到當地的縣政府書記處，將自己的債務作填表登記，證實法院有對債務人作出裁決，而債權人有權放置產權置留狀。縣政府記錄後，會將產權置留狀的相關文件寄給債務人 (即房地產主人)，通知他們有人在其房地產上放置產權置留狀。債務人日後在出售財產或重新貸款時，一定會進行房地產產權調查，此時，產權置留狀就可以發揮效用，債權人可以要求債務人還清欠款才解除產權置留狀。

　　一旦還清債務，債權人在「裁決完成證明」(Satisfaction of Judgment，參閱第二十號表格)上簽字，將表格遞交法院，表明債務已清，該案已結束。債務人需回到法院拿取到裁決完成證明，再回到縣政府的書記處，證實債務已還清，而要求縣政府將產權置留狀取消。

　　這一種方法非常有效。但是前提是債務人必須有財產。不過，如果債務人負債累累，尤其是房地產的淨值都不足償還銀行的貸款，而銀行及貸款機構往往在債務償還方面較法院的裁決擁有優先權，在這種情況下，小額法庭的債權人未必能獲取到賠償。另外，縱使最終能獲取到賠償，但是要等候到債務人在重新貸款或出售房屋時才有功效，如果債務人長久地住在該房產上並沒有進行重新貸款，債權人仍只能夠等候。

2.2 扣除薪資

　　如果債務人有工作但不肯還錢，債權人可以向法院申請，要求從債務人的工資中扣除部分工資，來償還債務。

　　債權人必須先對債務人的收入有所瞭解，其手法包括要求對方向法院遞交「財產證明」(參閱第十七號表格)，或對債務人進行「債務人個人審查會」(參閱第十九號表格)。一旦獲取到債務人所工作的公司及薪資後，可以回到法院的書記官辦公室，要求法官簽署一份「扣除薪資令」(Writ of Wage Garnishment，參閱第十八號表格)，強迫債務人的雇主從債務人的工資中扣除部分做為債務償還。

　　在加州，雇主最高可以扣除債務人薪資的百分之二十五，

來作爲債務人的賠償。不過，大部份債務人在收到扣薪令後都不願意讓雇主插手自己的私事，而願意直接與債權人商量解決的方法。

2.3 銀行帳戶

債權人瞭解到債務人在銀行帳戶有存款，但債務人拒絕還錢，債權人要向法官提出申請，要求法官簽署「執行令」(Writ of Execution or Writ of Attachment，參閱第十八號表格)，委託庭警凍結債務人的銀行帳戶存款，然後命令銀行將欠款的數額扣除下來，來償還債權人的債務。

但是，債務人的一些資金來源是不能被凍結及扣除的，它們包括：社會安全福利金、退伍軍人補助、殘障者補助、失業救濟金等。

要申請，你必須準備三份「執行令」(Writ of Execution or Writ of Attachment) 的申請表格，一份由債務人自己保留，另外兩份交給法庭庭警，由庭警交給銀行，要求銀行直接扣除欠款。

除銀行外，你還可以申請一些特殊執行令，可以讓警察到債務人的公司直接搜查並拿走所有的現金，或者讓警察在債務人的生意處等候，有人付錢時就可以直接將客人的錢直接沒收，作爲欠款的賠償金。

如果要使用小額法庭的執行令來追回債務，小額法庭會收到一定的費用，每個州的規定不一樣，一般是討回債務金額的百分之十到二十。

美國小額法庭 DIY

第三節 裁決有效期

　　每個州小額法庭的裁決有效期不同，如紐約州為二十年有效，加州為十年有效。如果債務一直都無法在有效期內追回，債權人需要在裁決失效日期前到當地小額法庭的書記官辦公室登記裁決延期，則裁決繼續有效。

第十一章　常見糾紛處理方法

　　前面十章介紹小額法庭的一些常識及一些技術上的操作方法，但是由於每一宗案件都不盡相同，因而，本章特別選擇一些新移民常遇到的案件，來說明如何具體於利用小額法庭來討回公道。

　　筆者針對日常生活中遇到的一些法律問題，曾出版了《美國生活實用法律手冊》一書，可供新移民在提出小額法庭訴訟前作法律依據的參考。此外，針對新移民會常到的交通事故案件及房東與房客之間的糾紛問題，因為篇幅關係而不能在本書詳細解說，不過，在近期將陸續推出這方面的專著，敬請等候。

第一節 汽車修理糾紛案件

　　有人說美國是一個汽車的世界，所以很多人都有或多或少都有過修車的經歷，其中不乏一些人對修車的經歷或者唉聲嘆氣或者滿腔怒火。有關汽車修理的糾紛案件屢見不鮮，小額法庭上有關修車的案例比例很大。

　　在告進小額法庭前，車主應該爭取與修理廠協商。例如，一旦發現汽車在修理後仍問題百出，你應儘快打電話給修理

廠，或者直接將車開回修理廠，要求重新修理自己的車子。有時修理廠爲避免訴訟的麻煩而都願意作些妥協。

如果修理廠拒絕重修或索取不合理的額外費用，車主就要坐下來開始著手寫一封索賠信。信內詳細陳述自己與他們打交道的經過、問題所在、自己所做的努力、自己的證據，正式陳訴自己的要求，促使對方做出補償。如前面所述，寫索賠信時是爲自己小額法庭作伏筆，將來告法院時，這封索賠信是成爲法庭上最有利的證據。

在法庭上，法官會很看重車主在事發後是否做出努力，解決問題。法官經常也有過修車的惱人經歷，但是如果修理廠表示如果車主提出的話，他們願意補償車主的損失或重新修車，而車主從未提出，或者修理廠主動提出而車主置之不理，這樣的話，車主會失去法官的同情。

在利用小額法庭來處理汽車修理的糾紛案件，如果你是消費者的話，你必須要作好準備，提供足夠的證據來證明兩點：

一、修車廠沒有依約將汽車修理好；

二、自己因汽車未修理好而蒙受損失。

一般而言，第二點比較容易證實。例如車子無法像修車廠口頭或書面保證的那樣好，車的毛病根本沒有修好或更壞。

例如，小陳車子是九一年豐田汽車引擎壞掉，ABC修理廠答應更換豐田原廠新引擎，收費$2,500加$450服務費，在正常駕駛下保證新引擎可以一年內或開一萬二千哩無故障，可是小陳在開回家的路上就因引擎故障停在半路，原來，修車行根

本沒有更換引擎，只是簡單修補，更換了一些小配件。

要證實修理廠未依約將汽車修理好，你應該保留一些有關修車的證據。例如，加州汽車管理局要求所有的修理廠都必須向消費者提供修理估價單，並且如果修理過程中發現有新的問題，廠商必須得到消費者的同意方可以額外收費。另外，一些州規定如果消費者要求保留車子的廢舊零件，如換下的舊水箱、舊電池等的話，修理廠必須保留這些舊零件，消費者有權索回這些換下來的廢舊零件。

此外，你還可以利用其他汽車修理廠作為「專家證人」。你可以請其他的修車行重新檢查自己的車子，請他們對自己的車子做出評估，說明毛病所在，確定前一家修車行的可能過失，損失的金額估價。有的時候不妨多找幾個人檢查和做出書面估價 (Estimate)。

第二節 購買新車的糾紛案件

美國許多州都設有保護新車購買者的檸檬法案，每個州的規定大同小異。首先要確定自己是否買到一輛檸檬車？如果購買的新車有嚴重的汽車製造方面的毛病，影響到汽車的駕駛、價值和安全，這種車就是檸檬車。如剛買的新車開到五十哩以上就水溫過高、無法加速或剎車系統有問題，有時無法安全停車等。

車主向經銷商反應問題，要求更換新車或修車，汽車經銷

商在進行多次修理後都無法解決問題，或者在一年中多次修車，修車時間累計超過三十天，還是無法達到正常水平。

在有些州，檸檬車主將車子交給汽車經銷車行，車行會通知汽車製造商，告知問題所在和每次修理的情況。但是有些州，包括加州和華盛頓州，規定必須車主本人必須親自聯繫汽車製造商，書面通知汽車的問題和修理情況，說明情況，要求更換新車或退款。

當車主做出多次努力，至少三番四次反覆修理仍解決不了問題，全年汽車停在修理廠的時間超過三十天，或再三寫信要求換車或退款得不到同意，這時需要通過仲裁解決問題。

仲裁是通過第三者聽取雙方的陳訴和舉證，在沒有律師的參與下，協商解決問題。仲裁官可以要求車行退還車主的車款，更換一輛新車，或在一定時間內免費修理解決車的毛病。但是，仲裁結果不會補償車主在修車期間的租車費用和其他損失。

有的情況下，仲裁官判定車主沒有資格要求退款或換車，也無權繼續要求車行免費修車。車主認為自己有理有據，則可以在小額法庭提出訴訟。訴訟的對像是汽車經銷商和汽車製造商。

需要注意，小額法庭有自己的最高上限規定，在小額法庭提出起訴就說明自己放棄超出上限之外的金額。一輛新車的價值往往超出小額法庭的上限，車主要仔細計算訴訟額。

在法官面前，車主要證明自己車子的毛病，提供購車時車行的手續文件和保證書，並清楚地向法官說明並列舉證據，證

實自己一直以來多次修車不成，每次修車的時間地點記錄，並提供自己多次向汽車製造商寫索賠信的複印件，以及每次收到的汽車經銷行及汽車製造商的書信和文件，條理清晰地向法官一一列舉。

在證人方面，如果有人在場，聽到或看到車行員工向車主保證車況或保修範圍和期限，此人可以成為目擊證人。或者請車主的親人朋友等，證明車主每次修車的努力和因此承擔的損失，還可以請專家證人對車子的問題進行檢查和估價。

對於華裔新移民而言，購買新車時要特別小心。汽車經銷商會聘請伶牙俐齒的雙語銷售人員，銷售人員的講解和促銷有時會和英文銷售文件有很大的差異。所以在買車時要頭腦冷靜，簽署文件時要仔細考慮，不懂則問，避免日後在法庭上才知道自己簽署的文件內容。

另外，許多新移民發現退貨是經常的事，並且誤以為購買新車有三天的冷卻期。其實，新車出門就成了舊車，價值大減，退車給車行非常艱難，汽車經銷商都採納「貨出門概不退換」的規定，因而，簽約前最好多問多瞭解，不要亂簽一些自己不懂的英文文件。有些汽車經銷商會向消費者提供使用保證或保修，你堅持要他們將這些保證寫下，不要只聽銷售人員的口頭保證。

第三節 購買二手車的糾紛

3.1 向二手車經銷商買車

在美國進行的一次行業信用調查中，二手車經銷商的銷售人員信用度被列爲最低。主要是因爲銷售人員爲了出售這些二手車，而故意隱瞞舊車的問題，將舊車講得天花亂墜，一般消費者對汽車不熟悉，而可能無法辯清眞假。

許多二手車經銷商經常被消費者告，因而對小額法庭的程序及取證，法官的裁決等都相當熟悉，再加上一般法官都不會購買二手車，因而，很難對受騙上當的消費者有同感，因而，消費者應學會如何保護自己。

首先，不要相信銷售人員的口頭保證，一般而言，二手車經銷商都會在車上貼上「As is」的告示條，「As is」英文的意思是「按照現狀出售」。二手車經銷商喜歡「As is」這個詞，因爲「As is」可以爲他們脫掉很多責任，他們據此而對汽車不做任何保證。縱使銷售人員口若懸河地促銷，許諾保證，但是如果合約中卻明確表明是「Sold as is」的話，所有的口頭保證都沒有眞正的實效，一旦簽了合約並付了錢，二手車開出門後，就很難退車、換車或退款。

因而，在簽署合約前，一定要找一位懂車的朋友替你檢查一下汽車，或者將車開到自己熟悉的汽車修理廠去檢查一下，發現沒有問題才簽約付錢。

其次，有些二手車經銷商會提供汽車保修的保證，你應該確定這些保證寫在合約上才簽字付錢。

如果消費者住在康乃狄克州、麻薩諸塞州、紐約州和羅德島州，這些州的檸檬車法案同樣保護二手車的消費者。發生買車糾紛，首先查看當地州是否有檸檬車法案，看自己是否可以用檸檬車法案來解決糾紛。

如果發現當地沒有檸檬車法案的保護，如果消費者發現車子剛剛買到就壞掉，即使簽署了「As is」的合約，買主也可以馬上向法庭提出訴訟，因為賣車和買車時，賣方有默示的保證，保證汽車具備安全駕駛的功能。買主所購買的汽車是用來駕駛的，而不是買一堆廢鐵看著生氣的。如果汽車剛過戶出不能駕駛，這說明賣主違背了汽車買賣默許的保證。

因而，發現車子買回來就壞掉的話，車主要馬上通知汽車經銷商，磋商解決辦法，如果經銷商不願意負責的話，你必須儘快向消費者保護機構投訴，說明自己受騙的情況，提供自己的證據，或者向小額法庭提出訴訟，要求汽車經銷商賠償損失。

3.2 從私人手中購買二手車

從私人手中購買二手車，往往比從二手車經銷商購買輕鬆一些。因為賣方基本上和自己旗鼓相當的個人，不是經驗豐富，處理購車糾紛經驗豐富的二手車經銷商。私人出售者不一定非常瞭解如何開脫他們的責任，一般不會讓你簽署「As is」之類的合約。

不過，如果這些二手車賣主在報紙，電臺作廣告，買主應該保留這些廣告的內容，對日後萬一發生的糾紛是很好證據。

如老馬在廣告上說自己的汽車引擎良好，車況如新，小李買回車子跑了不到幾哩引擎就壞掉，小李保留當時買車時的報紙廣告，在法庭上成爲很有力的證據，證實當時老馬在出售汽車時並沒有講眞話，而據此要求對方賠償。

第四節 債務的糾紛案件

　　小額法庭是最好的解決小額債務糾紛的地方。瞭解和掌握到小額法庭的審理，很多小商家可以通過小額法庭追回一些拖欠款。許多商家，如診所、律師事務所、餐館等，遇到債務糾紛就請追債公司代理追債，追債公司一般會收取的追回資金的百分之三十到五十作爲服務費用。在一些州的小額法庭，如加州，是不允許追債公司代表債權人來告債務人的，一定要當事人才可以提出訴訟。學會利用小額法庭討回欠款，既省錢又省事。

4.1 做為債權人

　　在到小額法庭告債務人前，首先考慮以下幾個問題：

一、債務數額是否值得提出訴訟，如果數額很小，和訴訟花費的時間和精力不成比例，根本沒必要告上法庭，只好當成生意中的損失，吃一虧長一智，以後避免類似的事情發生。

二、如果後來發現欠錢的人一文不名，根本沒有錢，

這種人在英文中稱爲 Dead-Beat，據美國的一個調查結果表明，美國現在有百分之十到二十的人都屬於這種類型。即使債權人花費了時間和精力告上法庭，得到法官的勝訴裁決，可是也沒有辦法拿回半分錢來，出庭也是白費勁而已。

三、此外，如果欠錢的人是自己做生意的客人和夥伴，追回一筆錢可能會失去一群顧客或生意夥伴，對簿公堂不免失去和氣，從而失去更多的生意和朋友。當事人不妨再三斟酌得失，是否一定要走上法庭，也許還有機會在庭外協商和解。

四、一旦欠錢的糾紛發生，要儘快解決。否則時間拖得太久，超出小額法庭規定的時效期，會失去起訴的權利；而且，時間拖得太久，當事人的記憶會變得模糊，原來很清楚的事情變得不好解釋，有關的證人證據也不易收集。事發後馬上採取行動，對方會擔心影響自己的信用，會給予足夠的的重視，很可能儘快解決問題。

五、如果是分期付款的債務糾紛，債權人只能對到期未付的款項提出索賠，而以後尚未到期的款項則不能要求索賠。除非在簽訂分期付款的協議時，有加速條款 (Acceleration Clause)，條款規定，一旦分期付款人某一期超期未付，則以後所有的欠款要一並付清。有這種加速條款的規定，則可以在小額法庭要求索賠全部餘款。

六、在欠款案件中，合約非常重要。合約有多種類型，如購買單、訂單、租約等都是可以成為合約文件。有關房地產的銷售，或金額超過五百元以上買賣，法律上要求買賣雙方簽訂書面合約。其他情況下，口頭合約也有法律效力。對於口頭合約的訴訟案，要爭取取得一些書面證據，如你在訴訟前和對方書信協商、對方曾同意付款、要求削減付款金額、要求分期付款、延期付款等，都證明口頭合約的確存在，對方也承認欠錢一事。

七、證人也非常重要。尤其是在口頭合約的案件中，如果有證人能證明口頭合約的存在，就可以充分證實自己有理由向對方索賠。自己的親人朋友都可以做為證人。

八、正如我們前面所討論過的，在走上法庭之前，很重要的一件事情是寫索賠信。在一些州的小額法庭要求，原告在告之前是否曾向對方提出過索賠遭到拒絕。索賠信可以向對方正式陳訴自己的要求，促使對方還錢；另外，如果對方仍不作出相應的行為，這封正式的索賠信也是將來訴諸法庭時，原告有利的證據。

　　寫索賠信表明自己對這件事情非常認真，表明自己的態度。索賠信要陳述事情的來龍去脈，列舉自己的根據。寫信時要考慮到這封信將來有可能會成為在法庭上的證據，法官會看到這封

信，而且從這封信裏瞭解案件過程。索賠信要提出具體的索賠金額，並制訂出明確的時間限制。明確通知對方，如果到期沒有還錢，你會在小額法庭提出訴訟，十天到兩個星期是最常見的限期。

需要注意：在寫索賠信時，要向對方說明，如果他們對產品或服務不滿，請儘快聯繫，你會努力滿足對方的合理需要，主動向對方表示解決問題的誠意。否則，在法庭上，對方可能提出對產品和服務不滿，並以此做爲辯護理由。但是，如果你信中詢問對方的意見，法官看到你已經給對方機會來解決產品和服務所謂的缺陷，而對方並沒有接受，此時法官就可能不會同情對方。

4.2 作為債務人時

從債務人的角度考慮，如果自己的確欠了別人的錢，最好儘量在對方起訴之前私下協商解決。如果確實有經濟困難，可以請求對方減少金額，或分期延後付款。不過，在下列情況下，債務人可以在小額法庭上向法官陳述自己拒付或拖欠的原因，作爲自己的辯護理由：

一、你對產品或服務不滿，對方沒有履行自己的承諾，毀約在先，自己才沒有付錢。例如：小唐請清潔公司在星期三上午清洗地毯，因爲星期五女朋友的父母要來作客商量結婚事宜，可是千呼萬

喚之後清潔工在第二個星期的星期二才出現，因為骯髒不堪的地毯，讓小唐星期五晚上的聚會舉足無措，非常難堪。因此，小唐只付了$150而拒絕付給原來答應的$300。

二、對方在合約中有欺詐行為，你發現自己被騙上當才沒有付錢。例如：小李購買了一套新沙發，傢俱行保證是義大利真皮沙發，售價$8,000，小李分期付款每月$300，十個月後小李的兒子不小心弄破了沙發，找人來修理時才發現沙發原來是人造仿皮，從此小李拒絕付款。

三、對方的產品和服務有保證期或使用保證，但是事實上對方並沒有實現保證。如：房屋裝修工向南希保證剛剛修好的房頂正常情況下十年內不會漏水，可是南希在第三個月，就不得不半夜到處找容器接房頂漏下的雨水。南希因此而拒絕付款。

四、原告的行為或產品是違法的，因此你拒絕付錢。例如張小姐向小錢購買了價值$800的減肥藥，使用後發現效果根本不如小錢所保證，所謂的減肥藥並沒有經過衛生檢疫部門通過，張小姐服用後不單沒有減肥，反而腹痛腹瀉，噁心嘔吐。

儘管小額法庭可以替自己討回公道，但是，法庭上有勝必有敗，有贏必有輸，要獲得雙贏的局面，最好是先規劃，再協商，到法庭上告往往是最後的選擇。

結語

　　瞭解自己的權益，才能眞正維護自身的利益。近年來美國華裔移民人數越來越多，華人在美的力量理應越來越強。但是，在美生活的華人卻逐漸形成一個封閉式的社區。華裔新移民不需要講英語就可以生活得非常舒適，從而養成一個不願意學習英語的惰性，從而無法有效地瞭解美國的法律，在受到不公平待遇時不能據理力爭。

　　學好英語，瞭解美國的本土文化，熟悉自己的權益，才能讓你及自己的下一代能理直氣壯地在美國生活，才能發揮美國法律所賦予的所有權利，才能讓自己及自己下一代成爲美國新大陸的一員。

附錄：

一、小額法庭常用表格

附件 1：

LAW OFFICE OF DANIEL H. DENG

9040 TELSTAR AVENUE, SUITE 132
EL MONTE, CALIFORNIA 91731

TELEPHONE: (626)280-6000   WWW.DENGLAW.COM

March 23, 2003

Mr. John Smith
1234 Main Street
Anytown, Anystate 91234

Dear Mr. Smith,

     This letter is intended to resolve the fee payment dispute arising from our agreement dated January 5, 2003. On January 5, 2003, you retained our office to represent your son in the criminal case filed in Alhambra. You signed the agreement with us as the guarantor for the attorney's fees. You also provided a check in the amount of Four Thousand Dollars ($4,000) for our professional service.

     On January 6, 2003, we made the court appearance for your son, and informed the court that we were his attorneys. However, your check was returned because there was not sufficient fund in your account. We informed you right away. You stated that it was a clerical error, and you would put enough funds into your account right away. You informed us that we could deposit your check again the next day. However, on January 12, we took the check to your bank and were informed that there was still not enough money in your account. You apologized to us and promised that you would pay us before the trial.

     However, we did not receive any money from you or your son before the trial. Out of professional ethics and in reliance on your promise that you would pay us at the conclusion of the trial, we agreed to take the case to the jury without being paid. Starting from February 10, 2003, we spent four days trying your son's case in court, and won his case. We were happy that your son finally got his freedom back. However, we were disappointed that you insisted that your son got his freedom back because he was innocent in the first place, and it had nothing to do with our work.

     We believe that we deserve to be paid for the service rendered. Before we take this dispute to the court, we could like to see whether we can resolve this matter. Please contact me at (626)280-6000 so that we can resolve this dispute amicably.

Sincerely Yours,

/S/ DHD
Daniel H. Deng, Esq.

General Waiver and Release

TO ALL TO WHOM THESE PRESENTS SHALL COME OR MAY CONCERN,
KNOW THAT

(Name of Person) residing at (specify address), as RELEASOR, in consideration of (specify $, or write: the sum of Ten Dollars and other good and valuable consideration), received from (specify person or company and address), as RELEASEE, receipt whereof is hereby acknowledged, releases and discharges the RELEASEE, RELEASEE'S heirs, executors, administrators, successors, and assigns from all actions, causes of action, suits, debts, dues, sums of money, accounts, reckonings, bonds, bills, specialties, covenants, contracts, controversies, agreements, promises, variances, trespasses, damages, judgments, extents, executions, claims, and demands whatsoever, in law, admiralty, or equity, which against the RELEASEE, the RELEASOR, RELEASOR'S successors and assigns ever had, now have, or hereafter can, shall or may have, for, upon, or by reason of any matter, cause, or omission whatsoever.

Whenever the text hereof requires, the use of singular number shall include the appropriate plural number as the text of the within instrument may require.

This RELEASE may not be changed orally.

IN WITNESS WHEREOF, the RELEASOR has caused this RELEASE to be executed and duly witnessed in the presence of (specify name of witness).

_____
Signature of RELEASOR

_____
Signature of Witness

STATE OF (specify), COUNTY OF (specify)

On (specify date), before me personally came (name of RELEASOR), to me known, who, by me duly sworn, did depose and say that deponent resides at (specify RELEASOR'S address), and who executed the foregoing RELEASE in my presence; and that deponent signed deponent's name by like order.

_____
Signature of Notary

表格 1：

Name and Address of Court:

SMALL CLAIMS CASE NO.:

— NOTICE TO DEFENDANT — YOU ARE BEING SUED BY PLAINTIFF	— AVISO AL DEMANDADO — A USTED LO ESTAN DEMANDANDO
To protect your rights, you must appear in this court on the trial date shown in the table below. You may lose the case if you do not appear. The court may award the plaintiff the amount of the claim and the costs. Your wages, money, and property may be taken without further warning from the court.	Para proteger sus derechos, usted debe presentarse ante esta corte en la fecha del juicio indicada en el cuadro que aparece a continuación. Si no se presenta, puede perder el caso. La corte puede decidir en favor del demandante por la cantidad del reclamo y los costos. A usted le pueden quitar su salario, su dinero, y otras cosas de su propiedad, sin aviso adicional por parte de esta corte.

PLAINTIFF/DEMANDANTE *(Name, street address, and telephone number of each)*:

DEFENDANT/DEMANDADO *(Name, street address, and telephone number of each)*:

Telephone No.:

Telephone No.:

Telephone No.:

Telephone No.:

Fict. Bus. Name Stmt. No.   Expires:

☐ See attached sheet for additional plaintiffs and defendants.

PLAINTIFF'S CLAIM

1. a. ☐ Defendant owes me the sum of: $ _____ , not including court costs, because *(describe claim and date)*:

   b. ☐ I have had an **arbitration of an attorney-client fee dispute**. *(Attach Attorney-Client Fee Dispute form (see form SC-101).)*
2. ☐ This claim is against a government agency, and I filed a claim with the agency. My claim was denied by the agency, or the agency did not act on my claim before the legal deadline. *(See form SC-150.)*
3. a. ☐ I have asked defendant to pay this money, but it has not been paid.
   b. ☐ I have NOT asked defendant to pay this money because *(explain)*:
4. This court is the proper court for the trial because ☐ *(In the box at the left, insert one of the letters from the list called "Venue Table" on the back of this sheet. If you select D, E, or F, specify additional facts in this space)*:
5. I ☐ have ☐ have not filed more than one other small claims action anywhere in California during this calendar year in which the amount demanded is more than $2,500.
6. I ☐ have ☐ have not filed more than 12 small claims, including this claim, during the previous 12 months.
7. I understand that
   a. I may talk to an attorney about this claim, but I cannot be represented by an attorney at the trial in the small claims court.
   b. I must appear at the time and place of trial and bring all witnesses, books, receipts, and other papers or things to prove my case.
   c. **I have no right of appeal on my claim**, but I may appeal a claim filed by the defendant in this case.
   d. If I cannot afford to pay the fees for filing or service by a sheriff, marshal, or constable, I may ask that the fees be waived.
8. I have received and read the information sheet explaining some important rights of plaintiffs in the small claims court.

I declare under penalty of perjury under the laws of the State of California that the foregoing is true and correct.

Date: . . . .

▶

_____ (TYPE OR PRINT NAME)   _____ (SIGNATURE OF PLAINTIFF)

ORDER TO DEFENDANT

You must appear in this court on the trial date and at the time LAST SHOWN IN THE BOX BELOW if you do not agree with the plaintiff's claim. Bring all witnesses, books, receipts, and other papers or things with you to support your case.

TRIAL DATE	DATE	DAY	TIME	PLACE	COURT USE
FECHA DEL JUICIO	1.				
	2.				
	3.				

Filed on *(date)*: _____   Clerk, by_____ , Deputy

— The county provides small claims advisor services free of charge. Read the information on the reverse. —

Form Adopted by the
Judicial Council of California
SC-100 [Rev. January 1, 1998]

PLAINTIFF'S CLAIM AND ORDER TO DEFENDANT
(Small Claims)

Cal. Rules of Court, rule 982.7;
Code of Civil Procedure,
§ 116.110 et seq.

SC－100　　　　　　　　**原告訴訟狀和被告的通知單**
(PLAINTIFF'S CLAIM AND ORDER TO DEFENDANT)

案件號碼：

對被告的通知書：爲了保護自己的權利，必須按時出庭，否則可能被缺席裁決。

原告的姓名，地址和電話　　　　　　　　被告的姓名，地址和電話

原告訴訟狀

1. a.＿＿ 被告欠我 $＿＿＿＿＿＿ 美元。不包括法院費用。原因如下：(描述原因)

   b.＿＿ 我曾有律師與客戶之間的費用糾紛仲裁。
2. ＿＿ 我對政府部門提出訴訟。我曾經向政府這個部門提出請求，請求被政府部門拒絕，或政府部門在有效期內沒有做出回覆。
3. ＿＿ 我曾經向被告索賠欠款，但是被告沒有賠償。
4. 這個法庭是正確的法庭審理我的訴訟，原因是＿＿＿＿＿。(A 被告本人或公司在此區居住，B 事故在此區發生，C 合約在此區簽訂或毀約，D 此合約爲零售商分期付款合約，E 此案依民法規 2984.10(4) 爲汽車銷售合約)
5. 我在過去一年中在加州的小額法庭，＿＿有，或＿＿沒有一次以上提出過訴訟金額超過$2,500 美元的小額訴訟。
6. 過去的 12 個月＿＿有，或＿＿沒有提出過 12 次以上的小額訴訟(包括此次)。
7. 我懂得：
   a. 我可以向律師諮詢案件，但是我不能由律師代表在小額法庭出庭。
   b. 我必須在規定的時間和地點出庭，我必須携帶我的所有證人和證據出庭。
   c. **我無權對自己的訴訟判決提出上訴**；我可以對被告對我的反告判決上訴。
   d. 如果我無法負擔法庭訴訟費用和警察遞送傳票費用，我可以要求豁免。
8. 我收到並閱讀了小額法庭的文件，瞭解我做爲原告的重要權利。

我宣誓聲明上述屬實。
日期 ＿＿＿＿＿＿＿＿＿＿＿＿＿　　　＿＿＿＿＿＿＿＿＿＿＿＿＿

　　　　　　原告正楷姓名　　　　　　　　　　原告簽名

對被告的通知
如果你不同意原告的訴訟，你必須在以下通知的日期出庭，你必須携帶你的所有的證人和證據出庭。

年月	日期	時間	地點	法庭房間號碼

訴訟提出日期：＿＿＿＿＿＿＿＿＿　　　　　經手人＿＿＿＿＿＿＿＿＿＿＿書記官

縣政府提供免費的小額法庭法律諮詢。

表格 2：

SMALL CLAIMS CASE NO.:

— INSTRUCTIONS —

A. If you regularly do business in California for profit under a fictitious business name, you must execute, file, and publish a fictitious business name statement. This is sometimes called a "dba" which stands for "doing business as." This requirement applies if you are doing business as an individual, a partnership, a corporation, or an association. The requirement does not apply to nonprofit corporations and associations or certain real estate investment trusts. You must file the fictitious business name statement with the clerk of the county where you have your principal place of business, or in Sacramento County if you have no place of business within the state.

B. If you do business under a fictitious business name and you also wish to file an action in the small claims court, you must declare under penalty of perjury that you have complied with the fictitious business name laws by filling out the form below.

C. If you have not complied with the fictitious business name laws, the court may dismiss your claim. You may be able to refile your claim when you have fulfilled these requirements.

FICTITIOUS BUSINESS NAME DECLARATION

1. I wish to file a claim in the small claims court for a business doing business under the fictitious name of *(specify name and address of business)*:

2. The business is doing business as

☐ an individual
☐ a partnership
☐ a corporation

☐ an association
☐ other *(specify)*:

statement in the county of *(specify)*:

4. The number of the statement is *(specify)*:   and the statement expires on *(date)*:

I declare under penalty of perjury under the laws of the State of California that the foregoing is true and correct.

Date:

▶

. . . .
(TYPE OR PRINT NAME)

_____
(SIGNATURE OF DECLARANT)

Form Approved by the
Judicial Council of California
SC-103 [Rev. January 1, 1992]

FICTITIOUS BUSINESS NAME DECLARATION
(Small Claims)

Rule 982.7(b)
Code of Civil Procedure, § 116.430

SC−103 **生意假名聲明**
(FICTITIOUS BUSINESS NAME DECLARATION)
說明

A. **如果你在加州使用假名來做生意，你必須做假名登記。有時被稱爲"DBA"。不管你是個人、合夥公司或有限公司或協會，你都必須向當地的縣書記官辦公室登記。但非營利機構除外。**

B. **如果你使用假名進行商業行爲並且要利用小額法庭來採取法律行動，你必須填寫此表格，宣誓你已辦理過假名登記手續。**

C. **如果你未進行假名登記，法院可以撤銷你的訴訟，等你辦妥此手續後再重新提出。**

1. 我在此代表下述使用假名的商家在小額法庭提出訴訟。商家的假名及地址是：

2. 這個商業屬於
　　____個人生意　　　　　　　　____協會
　　____合夥生意　　　　　　　　____其他
　　____有限公司

3. 假名文件的簽屬縣政府爲：

4. 文件號碼：　　　　　　　　　　文件失效日期爲：

我發誓聲明上述屬實。
日期 _____　　_____
　　　　聲明人正楷姓名　　　　　　　　聲明人簽名

表格 3：

PARTY ☐ PLAINTIFF ☐ DEFENDANT *(Name and Address):*		TELEPHONE NO.:

NAME AND ADDRESS OF COURT:

PLAINTIFF(S):

DEFENDANT(S):

PROOF OF SERVICE (Small Claims)	HEARING DATE:	DAY:	TIME:	DEPT./DIVISION:	CASE NUMBER:

1. At the time of service I was at least 18 years of age and not a party to this action, and I **served copies** of the following:

☐ Plaintiff's Claim ☐ Order of Examination ☐ Other *(specify):*
☐ Defendant's Claim ☐ Subpena Duces Tecum

2. a. Party served *(specify name of party as shown on the documents served):*

b. Person served: ☐ party in item 2.a. ☐ other *(specify name and title or relationship to the party named in item 2.a.)*

3. By delivery ☐ at home ☐ at business
a. date:
b. time:
c. address:

4. **Manner of service** *(check proper box):*
a. ☐ **Personal service.** I personally delivered to and left copies with the party served. **(C.C.P. 415.10)**
b. ☐ **Substituted service on corporation, unincorporated association (including partnership), or public entity.** By leaving, during usual office hours, copies in the office of the person served with the person who apparently was in charge and thereafter mailing (by first-class mail, postage prepaid) copies to the person to be served at the place where the copies were left. **(C.C.P. 415.20(a))**
c. ☐ **Substituted service on natural person, minor, incompetent, or candidate.** By leaving copies at the dwelling house, usual place of abode, usual place of business, or usual mailing address other than a U. S. Postal Service post office box of the person served in the presence of a competent member of the household or a person apparently in charge of the office or place of business, at least 18 years of age, who was informed of the general nature of the papers, and thereafter mailing (by first-class mail, postage prepaid) copies to the person to be served at the place where the copies were left. **(C.C.P. 415.20(b))**
d. ☐ **Date of mailing:**   **From** *(city):*

> **Information regarding date and place of mailing is required for services effected in manner *4.b.* and *4.c.* above.**
> **Certified mail service may be performed only by the Clerk of the Court in small claims matters.**

5. Person serving *(name, address, and telephone number):*
a. **Fee** for service: $
b. ☐ Not a registered California process server
c. ☐ **Exempt** from registration under B&P Section 22350(b)
d. ☐ **Registered** California process server
   1. ☐ Employee or independent contractor
   2. **Registration Number:**
   3. **County:**

6. ☐ I declare under penalty of perjury under the laws of the State of California that the foregoing is true and correct.
7. ☐ I am a California sheriff, marshal, or constable and I certify that the foregoing is true and correct.

Date:

▶

_____
(SIGNATURE OF SERVER)

Form Approved by the
Judicial Council of California
SC-104 [New January 1, 1992]

PROOF OF SERVICE
(Small Claims)

Code of Civil Procedure
§§ 415.10, 415.20

SC－104　　　　　　　　　　**告票送達證明**
(PROOF OF SERVICE)

＿＿原告 ＿＿被告姓名地址　　電話	法院使用
法院名稱及地址	
原告為： 被告為：	

傳票送達證明	開庭日期	日期	時間	法院分部	案件號碼

1. 在遞送時，我年滿 18 歲而且與此案無關，我遞送以下文件的複印件：
   原告訴訟狀＿＿＿＿　　　　　檢審會通知＿＿＿＿　　　　　其他＿＿
   被告訴訟狀＿＿＿＿　　　　　文件傳票＿＿＿＿

2. a.接受人：（接受人的姓名）
   b.接受人是否收到＿＿＿＿　　　　其他傳票接受人＿＿＿＿(姓名，身份關係)

3. 送達到其：　　　　　住所＿＿＿＿　　　　　　　工作＿＿＿＿
   a. 日期　　　　　　　b. 時間　　　　　　　　　c. 地址

4. 傳送方式：
   a. 個人送達傳票。我本人親自送達並留下複印件。
   b. 替代性送達傳票給有限公司，合夥人公司，協會，或政府機構。在辦公時間內，我在負責人的辦公室送達文件並留下複印件。我隨後以平信方式寄出另一份複印件。
   c. 替代性送達傳票給個人，未成年人，或候選人。我送傳票到此人的住所或辦公所在地，通知其住所或辦公室的負責人傳票內容，留下複印件。我隨以平信方式寄出另一份複印件。
   d. 寄信的時間：　　　　　　　　　寄出地：

5. 遞送人姓名，地址，電話：
   a. 收取的費用：$
   b. ＿＿不是加州登記注冊傳票遞送人：
   c. ＿＿依加州商法 22350(b)不需登記
   d. ＿＿向加州政府登記注冊的遞送人：
      1. ＿＿職員或獨立合約商。
      2. 登記號碼：
      3. 縣：

6. ＿＿＿我發誓證明上述屬實。

7. ＿＿＿我是加州的法庭警察，執行官，或警察。我發誓證明上述屬實。

日期＿＿＿＿＿＿＿＿　　　　　　　　　簽名＿＿＿＿＿＿＿＿＿＿＿＿＿＿＿

表格 4：

_____
_____
_____
_____

REQUEST FOR POSTPONEMENT (CCP 116.570)

Name and Address of Requesting Party	Case Number:
Telephone Number: ( )	

PLAINTIFF:	VS	DEFENDANT:

I am the Plaintiff/Defendant in the above entitled action. I declare that:

____ A $10.00 postponement fee is attached (non-refundable)

____ A fee waiver for the $10.00 postponement fee has been filed.

I am requesting that my small claims hearing date of _____be postponed and rescheduled to_____for the following reason:

I declare under the penalty of perjury under the laws of the State of California that the foregoing is true and correct.

Date:_____   _____

SIGNATURE OF DECLARANT

REQUEST FOR POSTPONEMENT

F051-3220.1

CCP 116.570

表格正面：

延期開庭申請表
（REQUEST FOR POSTPONEMENT CCP116.570）

申請人的姓名，地址，電話	案件號碼：
原告：　　　　　　　對　　　　　被告：	

我是案件中的原告/被告，我在此聲明：
　　　　　　在此附上十元不能退還的延期費。
　　　　　　已申請免除十元延期費。

我要求本人所涉及的小額案件開庭日由＿＿＿＿＿＿ 延期至 ＿＿＿＿＿＿，
原因如下：

我發誓聲明上述屬實。
日期＿＿＿＿＿＿　　　　　　　　簽名＿＿＿＿＿＿＿＿＿＿＿

表格 4：

DECLARATION OF SERVICE BY MAIL

I served a copy of the Request for Postponement by depositing a copy thereof enclosed in sealed envelope, with postage prepaid in the United States mail at (city) _____, addressed as follows (name and address of opposing party(s).

I declare under penalty of perjury that the foregoing is true and correct.

Executed on_____at_____, California.
            DATE   PLACE

_____
SIGNATURE OF DECLARANT

_____
TYPE OR PRINT NAME OF DECLARANT

_____
TYPE OR PRINT ADDRESS OF DECLARANT

表格背面：

信件通知之聲明

我在美國____城市，將延期開庭申請以信件方式寄給原告/被告。
收信人姓名地址如下：

我發誓聲明上述屬實。

簽署日期_____，在_____，加州。
　　　　日期　　　　　　　　　　地點

_____
　　聲明人簽名
_____
　　聲明人姓名
_____
　　聲明人地址

表格 5：

Name and Address of Court:

SC-120

SMALL CLAIMS CASE NO.

— NOTICE TO PLAINTIFF — **YOU ARE BEING SUED BY DEFENDANT**	— *AVISO AL DEMANDANTE* — *A USTED LO ESTA DEMANDANDO EL*
To protect your rights, you must appear in this court on the trial date shown in the table below. You may lose the case if you do not appear. The court may award the defendant the amount of the claim and the costs. Your wages, money, and property may be taken without further warning from the court.	*Para proteger sus derechos, usted debe presentarse ante esta corte en la fecha del juicio indicada en el cuadro que aparece a continuación. Si no se presenta, puede perder el caso. La corte puede decidir en favor del deman- dado por la cantidad del reclamo y los costos. A usted le pueden quitar su salario, su dinero, y otras cosas de su propiedad, sin aviso adicional por parte de esta corte.*

PLAINTIFF/DEMANDANTE *(Name, address, and telephone number of each):*

DEFENDANT/DEMANDADO *(Name, address, and telephone number of each):*

Telephone No.:

Telephone No.:

Telephone No.:

Telephone No.:

Fict. Bus. Name Stmt. No.   Expires:

☐ See attached sheet for additional plaintiffs and defendants.

DEFENDANT'S CLAIM

1. Plaintiff owes me the sum of: $ _____ , not including court costs, because *(describe claim and date)*:

2. a. ☐ I have asked plaintiff to pay this money, but it has not been paid.
   b. ☐ I have NOT asked plaintiff to pay this money because *(explain)*:

3. I ☐ have ☐ have not   filed more than one other small claims action anywhere in California during this calendar year in which the amount demanded is more than $2,500.

4. I understand that
   a. I may talk to an attorney about this claim, but I cannot be represented by an attorney at the trial in the small claims court.
   b. I must appear at the time and place of trial and bring all witnesses, books, receipts, and other papers or things to prove my case.
   c. **I have no right of appeal on my claim,** but I may appeal a claim filed by the plaintiff in this case.
   d. If I cannot afford to pay the fees for filing or service by a sheriff, marshal, or constable, I may ask that the fees be waived.

5. I have received and read the information sheet explaining some important rights of defendants in the small claims court.

I declare under penalty of perjury under the laws of the State of California that the foregoing is true and correct.

Date:

▶

....
(TYPE OR PRINT NAME)

(SIGNATURE OF DEFENDANT)

ORDER TO PLAINTIFF

You must appear in this court on the trial date and at the time LAST SHOWN IN THE BOX BELOW if you do not agree with the defendant's claim. Bring all witnesses, books, receipts, and other papers or things with you to support your case.

TRIAL DATE FECHA DEL JUICIO		DATE	DAY	TIME	PLACE	COURT USE
	1.					
	2.					
	3.					
	4.					

Filed on *(date)*:   Clerk, by _____ , Deputy

— The county provides small claims advisor services free of charge. (Advisor phone number: _____) —

Form Approved by the
Judicial Council of California
SC-120 [Rev. January 1, 1996]

DEFENDANT'S CLAIM AND ORDER TO PLAINTIFF
(Small Claims)

Cal. Rules of Court, rule 982.7;
Code of Civil Procedure, § 116.110 et seq.

- 154 -

SC－120　　　　　**被告反告訟狀和對原告的通知**
(DEFENDANT'S CLAIM AND ORDER TO PLAINTIFF)

案件號碼：

原告請注意：被告在此反告你，爲了保護自己的權利，需按時出庭，否則可能被缺席裁決。

原告的姓名，地址和電話　　　　　　　被告的姓名，地址和電話

生意假名文件號碼：　　　　　過期日期：

被告的反告訴狀

1. 原告欠我_____美元，不包括法院費用，理由如下：

2. a. 我曾經向被告索賠欠款，但是被告沒有賠償。
　 b. 我未曾向被告索賠欠款，原因如下：
3. 我在過去一年中在加州的小額法庭，____有，或____沒有一次以上
　 提出過訴訟金額超過$2,500 美元的小額訴訟。
4. 我懂得：
　 a. 我可以向律師咨詢案件，但是我不能由律師代表在小額法庭出庭。
　 b. 我必須在規定的時間和地點出庭，我必須携帶所有證明我的訴訟的證人證據出
　　 庭。
　 c. **我不能對自己的訴狀判決提出上訴**，我可以對原告對我的起訴判決上訴。
　 d. 如果我無法負擔法庭訴訟和警察遞送傳票費用，我可以要求豁免。
5. 我收到並閱讀了小額法庭的文件，瞭解我做爲被告的重要權利。

我發誓聲明上述屬實。
日期 _____　　　　_____
　　　　　被告姓名　　　　　　　　　　　　被告簽名

對原告的通知

如果你不同意被告的訴訟的話，你必須在以下通知的日期出庭，你必須携帶你的
所有的證人和證據出庭。

年月	日期	時間	地點	法庭使用

訴訟提出日期：　_____　　　經手人_____書記官

縣政府提供免費的小額法庭法律諮詢。

- 155 -

表格 6：

Name and Address of Court:

SMALL CLAIMS CASE NO.

```
┌─ PLAINTIFF/DEMANDANTE (Name, address, and telephone number of each):    ┐    ┌─ DEFENDANT/DEMANDADO (Name, address, and telephone number of each):    ┐

│ Telephone No.:                                    │    │ Telephone No.:                                    │
├────────────────────────────────────┤    ├────────────────────────────────────┤



│ Telephone No.:                                    │    │ Telephone No.:                                    │
└────────────────────────────────────┘    └────────────────────────────────────┘
```

[ ] See attached sheet for additional plaintiffs and defendants.

NOTICE TO *(Names)*:

NOTICE OF MOTION FOR *(specify)*:
1. I request the court to make an order to *(specify)*:
2. My request is based on this notice of motion and declaration, the records on file with the court, and any evidence that may be presented at the hearing.

DECLARATION SUPPORTING MY REQUEST FOR THIS MOTION
3. I am the [ ] plaintiff [ ] defendant in this action.

4. The facts supporting this motion are as follows *(specify)*:

[ ] Item 4 continued on attached page.

I declare under penalty of perjury under the laws of the State of California that the foregoing is true and correct.

Date:

▶

....   _____
(TYPE OR PRINT NAME)   (SIGNATURE)

5. If you wish to oppose this request you should appear at the court on

HEARING DATE FECHA DEL JUICIO		DATE	DAY	TIME	PLACE
	1.				
	2.				
	3.				
	4.				

CLERK'S CERTIFICATE OF MAILING

I certify that I am not a party to this action. This Notice of Motion was mailed first class, postage prepaid, in a sealed envelope to the responding party at the address shown above. The mailing and this certification occurred
at *(place)*:   , California,
on *(date)*:

Clerk, by _____ , Deputy

— **The county provides small claims advisor services free of charge.** —

Form Approved by the
Judicial Council of California
SC-105 [New January 1. 1992]

NOTICE OF MOTION AND DECLARATION
(Small Claims)

- 156 -

SC-105

動議通知及聲明
(NOTICE OF MOTION AND DECLARATION)

法院名稱地址：　　　　　　　　　　　　　　　　　案件號碼：

每位原告的姓名，地址和電話　　　　　每位被告的姓名，地址和電話

通知對象：(姓名)

有關動議的內容　：
1. 本人要求法院做出以下決議：
2. 本人根據本動議，法院的文件以及其它在聽證會所提出的證據而提出此動議。

支持本動議的聲明如下：
3. 本人是此案件中的＿＿ 原告＿＿被告
4. 支持本動議的事實依據是：

我發誓聲明上述屬實。

日期：＿＿＿＿＿＿＿＿＿＿＿＿＿　　　　＿＿＿＿＿＿＿＿＿＿
　　　　　聲明人姓名　　　　　　　　　　　聲明人簽字
5. 如果你反對此動議，你必須在下述日期出庭：

年　　　月	日　　期	時　　間	地　　點

書記官寄件證明

本人證明我與此案無關。這封動議申請通知以平信方式寄給上述地址中的案件當事人。郵寄文件和做出此證明于：

地址：＿＿＿＿＿＿＿＿＿＿＿＿＿＿＿，加州，
日期：＿＿＿＿＿＿＿＿＿＿＿，書記官＿＿＿＿＿＿＿＿＿＿＿＿

縣法院提供小額法庭免費法律諮詢。

表格 7：

Name and Address of Court:

—

SMALL CLAIMS CASE NO.

PLAINTIFF/DEMANDANTE (Name, address, and telephone number of each):

DEFENDANT/DEMANDADO (Name, address, and telephone number of each):

Telephone No.:

Telephone No.:

Telephone No.:

Telephone No.:

☐ See attached sheet for additional plaintiffs and defendants.

REQUEST TO CORRECT OR VACATE JUDGMENT

FILING THIS REQUEST DOES NOT INCREASE THE TIME FOR FILING A NOTICE OF APPEAL

REQUEST TO ☐ **CORRECT** ☐ **VACATE JUDGMENT**
1. I request the court to make an order to ☐ correct ☐ vacate the judgment entered on (date):
2. My request is based on this declaration and the records on file with the court.
DECLARATION SUPPORTING MY REQUEST
3. I am the ☐ plaintiff ☐ defendant in this action.
4. The facts supporting this request
   a. ☐ to correct a clerical error in the judgment
   b. ☐ to set aside or vacate the judgment on the grounds of an incorrect or erroneous legal basis for the decision
   are as follows (specify facts, statute, rule of court case law, etc.):

☐ Item 4 continued on attached page.
I declare under penalty of perjury under the laws of the State of California that the foregoing is true and correct.
Date:

. . . .
       (TYPE OR PRINT NAME) ▶ _____
                   (SIGNATURE)
5. If you wish to oppose this request, please file a response with the court within 15 days and serve a copy on the opposing side.

No hearing will be held unless ordered by the court.

CLERK'S CERTIFICATE OF MAILING

I certify that I am not a party to this action. A copy of this Request was mailed first class, postage prepaid, in a sealed envelope to the responding party at the address shown above. The mailing and this certification occurred
at (place): , California,
on (date):

                          Clerk, by _____, Deputy

— The county provides small claims advisor services free of charge. —

Form Approved by the
Judicial Council of California
SC-108 [New January 1, 1994]

REQUEST TO CORRECT OR VACATE JUDGMENT
(Small Claims)

Code of Civil Procedure, § 116.725

SC－108   　　　　**更改或取消法院裁決申請狀**
　　　　　　　　（REQUEST TO CORRECT OR VACATE JUDGMENT）

法院名稱地址：　　　　　　　　　　　案件號碼：

原告的姓名，地址和電話　　　　　　　被告的姓名，地址和電話

更改或取消法院裁決申請狀

提出此申請並不能延長提出上訴申請的時效。

申請：更改_____　　撤消_____，法院裁決。

1. 我請求法院做出決定，修改_____，撤消_____法院於_____日做出的裁決。
2. 本人根據下述的聲明及法院的資料作出此申請。

支持本人申請的聲明

3. 我是此案件中的：原告_____　　　　被告_____
4. 這個申請的事實根據：
　　　　_____ 修改裁決的文書錯誤。
　　　　_____ 裁決所根據的法律依據有誤或不正確而要求取消裁決，依據如下：

我發誓聲明上述屬實。
日期 _____　　_____
　　　　　申請者姓名　　　　　　　　　　申請者簽名

---

5. 如果反對此申請，請於 15 天之內向法院提出回覆，並向對方遞交回覆件。

除非法官同意，否則未設聽證會

書記官寄件證明

我在此證明我與此案無關。這封申請以平信方式寄給上述地址中的案件當事人。
郵寄和及此證明在下述時間及地點完成：
地址：_____，加州，
日期：_____，書記官_____

法院提供小額法庭免費法律諮詢。

表格 8：

Name and Address of Court:

SMALL CLAIMS CASE NO.:

| PLAINTIFF/DEMANDANTE *(Name, street address, and telephone number of each)*: | DEFENDANT/DEMANDADO *(Name, street address, and telephone number of each)*: |

Telephone No.:

Telephone No.:

Telephone No.:

Telephone No.:

☐ See attached sheet for additional plaintiffs and defendants.

NOTICE TO *(Name)*:

| One of the parties has asked the court to CANCEL the small claims judgment in your case. If you disagree with this request, you should appear in this court on the hearing date shown below. If the request is granted, ANOTHER TRIAL may immediately be held. Bring all witnesses, books, receipts, and other papers or things with you to support your case. | *Una de las partes en el caso le ha solicitado a la corte que DEJE SIN EFECTO la decisión tomada en su caso por la corte para reclamos judiciales menores. Si usted está en desacuerdo con esta solicitud, debe presentarse en esta corte en la fecha de la audiencia indicada a continuación. Si se concede esta solicitud, es posible que se efectúe otro juicio inmediatamente. Traiga a todos sus testigos, libros, recibos, y otros documentos o cosas para presentarlos en apoyo de su caso.* |

NOTICE OF MOTION TO VACATE (CANCEL) JUDGMENT

1. A hearing will be held in this court at which I will ask the court to **cancel** the judgment entered against me in this case. If you wish to oppose the motion you should appear at the court on

HEARING DATE	DATE	DAY	TIME	PLACE	COURT USE
FECHA DEL JUICIO	1.				
	2.				
	3.				

2. I am asking the court to cancel the judgment for the reasons stated in item 5 below. My request is based on this notice of motion and declaration, the records on file with the court, and any evidence that may be presented at the hearing.

DECLARATION FOR MOTION TO VACATE (CANCEL) JUDGMENT

3. Judgment was entered against me in this case on *(date)*:
4. I first learned of the entry of judgment against me on *(date)*:
5. I am asking the court to cancel the judgment for the following reason:
   a. ☐ I did not appear at the trial of this claim because *(specify facts)*:

   b. ☐ Other *(specify facts)*:

6. I understand that I must bring with me to the hearing on this motion all witnesses, books, receipts, and other papers or things to support my case.

I declare under penalty of perjury under the laws of the State of California that the foregoing is true and correct.

Date:

▶

. . . .
(TYPE OR PRINT NAME) . . . . (SIGNATURE)

CLERK'S CERTIFICATE OF MAILING

I certify that I am not a party to this action. This Notice of Motion to Vacate Judgment and Declaration was mailed first class, postage prepaid, in a sealed envelope to the responding party at the address shown above. The mailing and this certification occurred

at *(place)*: , California,
on *(date)*:

Clerk, by _____ , Deputy

— **The county provides small claims advisor services free of charge.** —

| Form Approved by the Judicial Council of California SC-135 [Rev. January 1, 1997*] | * NOTE: Continued use of form SC-135 (Rev. January 1, 1992) is authorized through December 31, 1997. **NOTICE OF MOTION TO VACATE JUDGMENT AND DECLARATION** (Small Claims) | Cal. Rules of Court, rule 982.7 Code of Civil Procedure, §§ 116.720, 116.730, 116.740 |

SC－135

撤消裁決動議通知書
(NOTICE OF MOTION TO
VACATE JUDGMENT AND DECLARATION)

法院名稱地址　　　　　　　　　　　　　　案件號碼：
原告姓名，地址和電話　　　　　　　　　被告姓名，地址和電話

取消法院裁決動議通知書

至：(姓名)

訴訟中一方向法院提出要求取消小額法庭的裁決，如果你對此表示反對，務必於下述開庭日期出庭，如果此動議被批准，可能立即開審此案，請同時携帶你的證人證據等出庭。

1. 我將在法庭即將召開的聽證會上，要求法庭撤消對我做出的原有裁決。如果你反對我的動議，請於下述日期出庭：

年月	日期	時間	地點	法庭使用

2. 我要求法院撤消裁決，原因如第 5 條所述。我的申請基於法院記錄和此聲明，我可能在聽證會上被要求出示證據。

取消法院裁決動議的聲明

3. 法庭對此案的原有裁決對我不利，裁決日期＿＿＿＿＿＿＿＿＿＿＿＿＿
4. 我最初知道法院裁決的日期是在＿＿＿＿＿＿＿＿＿
5. 我要求法庭取消裁決的原因是：(陳訴事實)
   　　a. ＿＿我沒有出庭是因爲：(陳訴事實)
   　　b. ＿＿其他：(陳訴事實)
6. 我知道我需要同時携帶我的證人及所有證據等出庭爲我的訴訟作證。

我發誓聲明上述屬實。

日期 ＿＿＿＿＿＿＿＿＿＿＿　　　　＿＿＿＿＿＿＿＿＿＿＿
　　　　　　申請人姓名　　　　　　　　　　　申請人簽名

書記官寄件證明

我在此證明我與此案無關。這封上訴申請以平信方式寄給上述地址中的案件當事人。郵寄和證明是在下述時間及地址所完成：

地址：＿＿＿＿＿＿＿＿＿＿＿＿＿＿＿＿＿＿，加州，
日期：＿＿＿＿＿＿＿＿＿＿＿，書記官＿＿＿＿＿＿＿＿＿＿

縣法院提供小額法庭免費法律諮詢。

表格 9：

Name and Address of Court:

SMALL CLAIMS CASE NO.

PLAINTIFF/DEMANDANTE *(Name, address, and telephone number of each):*

DEFENDANT/DEMANDADO *(Name, address, and telephone number of each):*

Telephone No.:

Telephone No.:

Telephone No.:

Telephone No.:

☐ See attached sheet for additional plaintiffs and defendants.

DECLARATION FOR SUBPENA DUCES TECUM

1. I, the undersigned, declare I am the ☐ plaintiff ☐ defendant ☐ judgment creditor ☐ other *(specify)*: in the above entitled action.
2. This action has been set for hearing on *(date)*:   at *(time)*:   in the above named court.
3. *(Name)*:   has in his or her possession or under his or her control the following documents relating to *(name of party)*   :

   a. ☐ Payroll receipts, stubs, and other records concerning employment of the party. Receipts, invoices, documents, and other papers or records concerning any and all accounts receivable of the party.

   b. ☐ Bank account statements, canceled checks, and check registers from any and all bank accounts in which the party has an interest.

   c. ☐ Savings account passbooks and statements, savings and loan account passbooks and statements, and credit union share account passbooks and statements of the party.

   d. ☐ Stock certificates, bonds, money market certificates, and any other records, documents, or papers concerning all investments of the party

   e. ☐ California registration certificates and ownership certificates for all vehicles registered to the party.

   f. ☐ Deeds to any and all real property owned or being purchased by the party.

   g. ☐ Other *(specify)*:

These documents are material to the issues involved in this case for the following reasons *(specify)*:

I declare under penalty of perjury under the laws of the State of California that the foregoing is true and correct.

Date:

▶

....
(TYPE OR PRINT NAME)

(SIGNATURE OF JUDGMENT CREDITOR)

Form Approved by the
Judicial Council of California
SC-107 [New January 1, 1992]

DECLARATION FOR SUBPENA DUCES TECUM
(Small Claims)

Code of Civil Procedure, §§ 1985-1987.5

SC－107

文件傳票之聲明
(DECLARATION FOR SUBPENA DUCES TECUM)

案件號碼：

每位原告的姓名、地址和電話　　　　　　　每位被告的姓名、地址和電話

文件傳票之聲明

1. 簽字人聲明：
   本人是本案件的：＿＿＿原告　＿＿＿被告　＿＿＿裁決債權人　＿＿＿其他
2. 案件已定將在＿＿＿＿＿日，＿＿＿＿＿時,在上述法院進行審理。
3. 以下文件有涉及本案原告/被告＿＿＿＿＿,這些文件由＿＿＿＿＿保管：
   a. ＿＿＿工資單及其它就業證，以及收據、文件等當事人的收入證明。
   b. ＿＿＿銀行清單、退還支票，以及支票帳戶等與當事人相關的銀行文件。
   c. ＿＿＿儲蓄賬號和貸款賬號，信用賬號與當事人有關的文件。
   d. ＿＿＿證券、股票等與當事人投資相關的證明文件。
   e. ＿＿＿當事人的加州車主登記及證明文件。
   f. ＿＿＿當事人擁有或正在買入的房產文件。
   g. ＿＿＿其他：

以上文件由於以下原因和此案有關，理由如下：

我發誓聲明上述屬實。
日期　：

＿＿＿＿＿＿＿＿＿＿＿＿＿＿　　　＿＿＿＿＿＿＿＿＿＿＿＿＿＿
　　　　申請人姓名　　　　　　　　　　　　債權人簽字

表格 10：

ATTORNEY OR PARTY WITHOUT ATTORNEY *(Name and Address)*:

TELEPHONE NO.:

FOR COURT USE ONLY

ATTORNEY FOR *(Name)*:

NAME OF COURT:
STREET ADDRESS:
MAILING ADDRESS:
CITY AND ZIP CODE:
BRANCH NAME:

PLAINTIFF/PETITIONER:

DEFENDANT/RESPONDENT:

CIVIL SUBPENA

[ ] Duces Tecum

CASE NUMBER:

THE PEOPLE OF THE STATE OF CALIFORNIA, TO (NAME):

1. **YOU ARE ORDERED TO APPEAR AS A WITNESS in this action at the date, time, and place shown in the box below UNLESS you make a special agreement with the person named in item 3:**

   a. Date: Time: [ ] Dept.:   [ ] Div.:   [ ] Room:
   b. Address:

2. AND YOU ARE
   a. [ ] ordered to appear in person.
   b. [ ] not required to appear in person if you produce the records described in the accompanying affidavit and a completed declaration of custodian of records in compliance with Evidence Code sections 1560, 1561, 1562, and 1271. (1) Place a copy of the records in an envelope (or other wrapper). Enclose your original declaration with the records. Seal them. (2) Attach a copy of this subpena to the envelope or write on the envelope the case name and number, your name and date, time, and place from item 1 (the box above). (3) Place this first envelope in an outer envelope, seal it, and mail it to the clerk of the court at the address in item 1. (4) Mail a copy of your declaration to the attorney or party shown at the top of this form.
   c. [ ] ordered to appear in person and to produce the records described in the accompanying affidavit. The **personal attendance** of the custodian or other qualified witness and the production of the original records **is required** by this subpena. The procedure authorized by subdivision (b) of section 1560, and sections 1561 and 1562, of the Evidence Code will not be deemed sufficient compliance with this subpena.

3. **IF YOU HAVE ANY QUESTIONS ABOUT THE TIME OR DATE FOR YOU TO APPEAR, OR IF YOU WANT TO BE CERTAIN THAT YOUR PRESENCE IS REQUIRED, CONTACT THE FOLLOWING PERSON BEFORE THE DATE ON WHICH YOU ARE TO APPEAR:**
   a. Name: b. Telephone number:

4. **Witness Fees:** You are entitled to witness fees and mileage actually traveled both ways, as provided by law, if you request them at the time of service. You may request them before your scheduled appearance from the person named in item 3.

DISOBEDIENCE OF THIS SUBPENA MAY BE PUNISHED AS CONTEMPT BY THIS COURT. YOU WILL ALSO BE LIABLE FOR THE SUM OF FIVE HUNDRED DOLLARS AND ALL DAMAGES RESULTING FROM YOUR FAILURE TO OBEY.

Date issued:

. . . .   ▶
(TYPE OR PRINT NAME)   (SIGNATURE OF PERSON ISSUING SUBPENA)

(TITLE)
(See reverse for proof of service)

Form Adopted by Rule 982
Judicial Council of California
982(a)(15) [Rev. January 1, 1991]

CIVIL SUBPENA

Code of Civil Procedure, §§ 1985, 1986, 1987

表格 10：

982(a)(15)
民事傳票
(CIVIL SUBPENA)

代表律師或未聘請律師代表的原告/被告姓名　電話： 代表：（原告或被告） 法院名稱： 地址： 通信地址： 城市和郵遞區號： 法院分院名稱： 原告： 被告：	法院使用
民事傳票 ＿＿＿文件傳票	案件號碼：

加州告知下述居民(姓名)：

1. 你被命令在以下通知的時間日期地點做爲證人出庭，除非你和第 3 條中的當事人達成特殊協議。

a. 日期：　　　　**時間：**　　＿＿＿**分院**　　＿＿＿**號庭**　　＿＿＿**號房間**
b. 地址：

2. 並且你

    a.　＿＿＿必須本人親自出庭。

    b.　＿＿＿如果你能提供有關證據文件並作公證聲明，則不必親自出庭本人。
(1) 將原始公證聲明證據文件裝入信封； (2) 在信封上寫上案件號碼、你的姓名地址、出庭的日期時間和一份此傳票複印件，將全部材料裝入另一個信封；(3) 第一號信封放入大號信封，郵寄到上述法院書記官辦公室地址；(4) 將一份聲明公證複印件寄給上述地址的律師或訴訟方。

    c.　＿＿＿必須有文件保管人親自出庭，並提供有關證據及證據公證聲明文件。本傳票依法律要求文件保管者必須出庭，寄出資料並不足夠。

3. **如果你對出庭日期和時間有疑問，或者你要求確定你是否必須出庭，請在上述的出庭日期前，和下述人聯繫。**
    a. 姓名：　　　　　　　　　　b. 電話：

4. **證人費用：**按法律規定，證人可以收取作證及交通費用，可以在收到傳票時向此傳票第 3 條中的當事人索取。

不理會此傳票將視爲藐視法庭。除最高可被罰五百元外，還必須承擔其行動所引致的損失。

傳票簽發日期：

＿＿＿＿＿＿＿＿＿＿＿＿＿＿＿＿＿＿＿＿　　　＿＿＿＿＿＿＿＿＿＿＿＿＿＿＿＿＿＿＿＿
　　　　簽發傳票人姓名　　　　　　　　　　　　　　　簽發傳票人簽名

表格 11：

REQUEST FOR DISMISSAL

☐ **Personal Injury, Property Damage, or Wrongful Death**
　　☐ **Motor Vehicle**　　☐ **Other**
☐ **Family Law**
☐ **Eminent Domain**
☐ **Other** *(specify)*:

CASE NUMBER:

— A conformed copy will not be returned by the clerk unless a method of return is provided with the document. —

1. **TO THE CLERK:** Please **dismiss** this action as follows:
　a. (1)☐ With prejudice　　(2)☐ Without prejudice

　b. (1)☐ Complaint　　　　　　　　(2)☐ Petition
　　(3)☐ Cross-complaint filed by *(name)*:　　　　　　　on *(date)*:
　　(4)☐ Cross-complaint filed by *(name)*:　　　　　　　on *(date)*:
　　(5)☐ Entire action of all parties and all causes of action
　　(6)☐ Other *(specify)*:*

Date:

▶

....
(TYPE OR PRINT NAME OF ☐ ATTORNEY ☐ PARTY WITHOUT ATTORNEY)
* If dismissal requested is of specified parties only, of specified causes of action only, or of specified cross-complaints only, so state and identify the parties, causes of action, or cross-complaints to be dismissed.

_____
(SIGNATURE)
Attorney or party without attorney for:
　☐ Plaintiff/Petitioner　☐ Defendant/Respondent
　☐ Cross-complainant

2. **TO THE CLERK:** Consent to the above dismissal is hereby given.**
Date:

▶

....
(TYPE OR PRINT NAME OF ☐ ATTORNEY ☐ PARTY WITHOUT ATTORNEY)
** If a cross-complaint—or Response (Family Law) seeking affirmative relief—is on file, the attorney for cross-complainant (respondent) must sign this consent if required by Code of Civil Procedure section 581(i) or (j).

_____
(SIGNATURE)
Attorney or party without attorney for:
　☐ Plaintiff/Petitioner　☐ Defendant/Respondent
　☐ Cross-complainant

(To be completed by clerk)
3. ☐ Dismissal entered as requested on *(date)*:
4. ☐ Dismissal entered on *(date)*:　　　　　as to only *(name)*:
5. ☐ Dismissal **not entered** as requested for the following reasons *(specify)*:

6. ☐ a. Attorney or party without attorney notified on *(date)*:
　　　b. Attorney or party without attorney not notified. Filing party failed to provide
　　　　☐ a copy to conform　　☐ means to return conformed copy

Date:　　　　　　　　　　　　　　Clerk, by _____, Deputy

Form Adopted by the
Judicial Council of California
982(a)(5) [Rev. January 1, 1997]

REQUEST FOR DISMISSAL

Code of Civil Procedure, § 581 et seq.
Cal. Rules of Court, rules 383, 1233

982(a)(5)   **撤案申請**
(REQUEST FOR DISMISSAL)

代表律師或未聘請律師代表的原告/被告 電話： 代表：（原告或被告）	法院使用
法院/分部名稱：	
原告：	
被告：	
撤案申請 ____人體傷害，財物損失，不當死亡案件 ____車禍 ____其他 ____家庭法 ____政府徵用地案件 ____其他	案件號碼：

1. 致法院書記官：請撤銷本案並且：
   - a. (1).____撤案後不可再提出。 ____ 撤案在有效期仍再次提出。
   - b. (1). ____ 本案的訴狀   (2).____ 本申請案
     - (3)___ 由下述人所提出的反告狀(姓名)：   提出日期：_____
     - (4)___ 由下述人所提出的反告狀(姓名)：   提出日期：_____
     - (5)___ 本案涉及的所有人士的所有訴訟
     - (6)___ 其他：

日期：

_____   _____

律師____未請律師的訴訟方____   訴訟方或律師代表簽名
                                               ____原告____被告
                                               ____反訴方

2. 致法院書記官：同意撤銷本案
日期：

_____   _____

律師____未請律師的訴訟方____   訴訟方或律師代表簽名
                                               ____ 原告____被告
                                               ____反訴方

（下列由書記官填寫）
3. ____按照要求在下述日期撤銷此案：_____
4. ____在下述日期撤消此案_____ 但僅限於_____
5. ____沒有按照要求撤案，原因如下：
6. ____a.通知律師或未有律師代表的訴訟當事人，通知日期：
       b.沒有通知律師或未有律師代表的訴訟當事人，申請人沒有提供：
            ____ 接受確認本   ____ 接受確認本的方法
日期：_____   書記官：_____

表格 12：

☐ Recording requested by and return to:

☐ ATTORNEY FOR ☐ JUDGMENT CREDITOR ☐ ASSIGNEE OF RECORD

NAME OF COURT:
STREET ADDRESS:
MAILING ADDRESS:
CITY AND ZIP CODE:
BRANCH NAME:

PLAINTIFF:

DEFENDANT:

CASE NUMBER:

ABSTRACT OF JUDGMENT

FOR COURT USE ONLY

1. The ☐ judgment creditor ☐ assignee of record
applies for an abstract of judgment and represents the following:
   a. Judgment debtor's

   Name and last known address

   b. Driver's license No. and state: ☐ Unknown
   c. Social Security No.: ☐ Unknown
   d. Summons or notice of entry of sister-state judgment was personally served or
   mailed to *(name and address)*:

   e. ☐ Additional judgment debtors are shown on reverse.
Date:

. . . .
(TYPE OR PRINT NAME)

▶ _____
(SIGNATURE OF APPLICANT OR ATTORNEY)

2. a. ☐ I certify that the following is a true and correct
      abstract of the judgment entered in this action.
   b. ☐ A certified copy of the judgment is attached.
3. Judgment creditor *(name)*:

   whose **address** appears on this form above the court's name.
4. Judgment debtor *(full name as it appears in judgment)*:

6. Total amount of judgment as entered or last renewed:
   $
7. ☐ An ☐ execution ☐ attachment lien
   is endorsed on the judgment as follows:
   a. Amount: $
   b. In favor of *(name and address)*:

[SEAL]

5. a. Judgment entered on
      (date):
   b. Renewal entered on
      (date):
   c. Renewal entered on
      (date):

   This abstract issued on
   (date):

8. A stay of enforcement has
   a. ☐ not been ordered by the court.
   b. ☐ been ordered by the court effective until
      (date):
9. ☐ This judgment is an installment judgment.

Clerk, by _____, Deputy

982(a)(1)　　　　　　　　　　**法院裁決證明**
(ABSTRACT OF JUDGMENT)

律師或未有律師的原告/被告　　　電話 律師所代表的人爲：　　＿＿債權人　　＿＿債務人 法院名稱： 地址： 通信地址： 城市和郵遞區號： 分部名稱： 原告： 被告：	法院使用
法院裁決證明	案件號碼
1.＿＿裁決債權人 ＿＿裁決債權人代表 　　向法院申請裁決證明書，證明以下相關債務： 　　a. 裁決債務人 　　　　姓名地址： 　　b. 駕照號碼和駕照簽發州： 　　c. 社會安全號碼： 　　d. 外州裁決的告票及通知是遞送給下述人士及地址： 　　e. 其他裁決債務人在此頁背面。 簽發日期：	法院專用

申請人或律師代表姓名　　　　　　　　　　申請人或律師代表簽字

2.a.＿＿ 我聲明所述裁決證明爲屬實。　　總額爲：
　　b.＿＿附上一份公證的法院裁決。　　7.＿＿有＿＿ 執行令＿＿産權留置權
3.裁決債權人：(姓名)　　　　　　　　　　a. 總額
　　地址在此表格法院地址上面。　　　　　b. 付給：(姓名及地址)
4.裁決債務人：(全名在法院裁決上)：　　8. 執行凍結令
5. a. 裁決日期：　　　　　　　　　　　　a. ＿＿＿尙未下達
　　b. 裁決重延日期：　　　　　　　　　　b. ＿＿＿已經下達, 有效期至：
　　c. 裁決重延日期：　　　　　　　　　9.＿＿＿此法院裁決爲分期付款：
6. 裁決債務總額或最近重延後

法院簽章	XX 簽發日期

法院書記官＿＿＿＿＿＿＿＿＿＿

表格 13：

SC-130

SMALL CLAIMS CASE NO.:

NOTICE TO ALL PLAINTIFFS AND DEFENDANTS: Your small claims case has been decided. If you lost the case, and the court ordered you to pay money, your wages, money, and property may be taken without further warning from the court. Read the back of this sheet for important information about your rights.	*AVISO A TODOS LOS DEMANDANTES Y DEMANDADOS: Su caso ha sido resuelto por la corte para reclamos judiciales menores. Si la corte ha decidido en su contra y ha ordenado que usted pague dinero, le pueden quitar su salario, su dinero, y otras cosas de su propiedad, sin aviso adicional por parte de esta corte. Lea el reverso de este formulario para obtener información de importancia acerca de sus derechos.*

PLAINTIFF/DEMANDANTE *(Name, street address, and telephone number of each):*   DEFENDANT/DEMANDADO *(Name, street address, and telephone number of each):*

Telephone No.:   Telephone No.:

Telephone No.:   Telephone No.:

☐ See attached sheet for additional plaintiffs and defendants.

NOTICE OF ENTRY OF JUDGMENT

Judgment was entered as checked below on *(date):*

1. ☐ Defendant *(name, if more than one):*
   shall pay plaintiff *(name, if more than one):*
   $ principal and $ costs on plaintiff's claim.
2. ☐ Defendant does not owe plaintiff any money on plaintiff's claim.
3. ☐ Plaintiff *(name, if more than one):*
   shall pay defendant *(name, if more than one):*
   $ principal and: $ costs on defendant's claim.
4. ☐ Plaintiff does not owe defendant any money on defendant's claim.
5. ☐ Possession of the following property is awarded to plaintiff *(describe property):*

6. ☐ Payments are to be made at the rate of: $ per *(specify period):*   , beginning on *(date):*
   and on the *(specify day):*   day of each month thereafter until paid in full. If any payment is missed, the entire balance may become due immediately.
7. ☐ Dismissed in court ☐ with prejudice. ☐ without prejudice.
8. ☐ *Attorney-Client Fee Dispute (Attachment to Notice of Entry of Judgment)* (form SC-132) is attached.
9. ☐ Other *(specify):*

10. ☐ This judgment results from a motor vehicle accident on a California highway and was caused by the judgment debtor's operation of a motor vehicle. If the judgment is not paid, the judgment creditor may apply to have the judgment debtor's driver's license suspended.
11. Enforcement of the judgment is automatically postponed for 30 days or, if an appeal is filed, until the appeal is decided.
12. ☐ This notice was personally delivered to *(insert name and date):*
13. CLERK'S CERTIFICATE OF MAILING—I certify that I am not a party to this action. This *Notice of Entry of Judgment* was mailed first class, postage prepaid, in a sealed envelope to the parties at the addresses shown above. The mailing and this certification occurred at the place and on the date shown below.

   Place of mailing: , California
   Date of mailing:
                              Clerk, by _____ , Deputy

— The county provides small claims advisor services free of charge. Read the information sheet on the reverse. —

Form Adopted by the
Judicial Council of California
SC-130 [Rev. January 1, 1998]

NOTICE OF ENTRY OF JUDGMENT
(Small Claims)

Cal. Rules of Court, rule 982.7;
Code of Civil Procedure, § 116.810

SC–130

法院裁決通知
(NOTICE OF ENTRY OF JUDGMENT)

法院名稱地址：   案件號碼：

對原告和被告的通知：法院已對你的案子做出裁決，如果你敗訴，並且法院命令你賠償，你的工資、資金以及財產可能無需法院的進一步警告即可被取走。

原告姓名，地址及電話：   **被告姓名，地址及電話：**

法院裁決通知

裁決如下：

1. ____被告賠償原告$_____加原告的法庭訴訟費用$_____。
2. ____被告對於原告的訴訟不欠任何錢。
3. ____原告賠償被告$_____加被告的法庭所訴費用$_____。
4. ____原告對於被告的訴訟不欠任何錢。
5. ____以下財產所有權判歸原告：(財產描述)

6. ____分期付款方式爲：每____(時間)付 $_____。開始日期 _____ 每月的_____日，直到全部債務還清。如果其中某期付款未付，則全部餘款全部付清。
7. ____撤案不允許上訴，____撤案後在時效時間內可以上訴。
8. ____律師和顧客費用糾紛表格隨附此通知。
9. ____其他：
10. ____這個裁決是關於在加州高速公路上由於裁決債務人的駕駛責任造成的車禍案件，如果裁決債務人不償還賠償金，裁決債權人可以要求吊銷裁決債務人的駕照。
11. ____如果本案有上訴，該裁決將自動延後三十天執行，直到上訴案裁定爲止。
12. ____本裁決被人送達（姓名和日期）_____。
13. **書記官寄件證明**:本人證明我與此案無關。這封法院裁決書以平信方式寄給上述地址中的案件當事人。郵寄文件和做出此證明於：

地址：_____, 加州，
日期：_____, 書記官_____

縣法院提供小額法庭免費法律諮詢。

表格 14：

Name and Address of Court:

SMALL CLAIMS CASE NO.

PLAINTIFF/DEMANDANTE *(Name, address, and telephone number of each)*:

DEFENDANT/DEMANDADO *(Name, address, and telephone number of each)*:

Telephone No.:

Telephone No.:

Telephone No.:

Telephone No.:

☐ See attached sheet for additional plaintiffs and defendants.

NOTICE OF FILING NOTICE OF APPEAL

TO: ☐ Plaintiff *(name)*:
☐ Defendant *(name)*:

| Your small claims case has been APPEALED to the superior court. Do not contact the small claims court about this appeal. The superior court will notify you of the date you should appear in court. The notice of appeal is set forth below. | La decisión hecha por la corte para reclamos judiciales menores en su caso ha sido APELADA ante la corte superior. No se ponga en contacto con la corte para reclamos judiciales menores acerca de esta apelación. La corte superior le notificará la fecha en que usted debe presentarse ante ella. El aviso de la apelación aparece a continuación. |

Date: _____   Clerk, by _____ , Deputy

NOTICE OF APPEAL

I appeal to the superior court, as provided by law, from
☐ the small claims judgment **or** ☐ the denial of the motion to vacate the small claims judgment.

DATE APPEAL FILED *(clerk to insert date)*:

▶

. . . .
(TYPE OR PRINT NAME)   (SIGNATURE OF APPELLANT OR APPELLANT'S ATTORNEY)

☐ I am an insurer of defendant *(name)* _____ in this case. The judgment against defendant exceeds $2,500, and the policy of insurance with the defendant covers the matter to which the judgment applies.

▶

. . . .
(NAME OF INSURER)   (SIGNATURE OF DECLARANT)

CLERK'S CERTIFICATE OF MAILING

I certify that
1. I am not a party to this action.
2. This Notice of Filing Notice of Appeal and Notice of Appeal were mailed first class, postage prepaid, in a sealed envelope to
☐ plaintiff
☐ defendant
at the address shown above.
3. The mailing and this certification occurred
at *(place)*: _____ , California,
on *(date)*:

Clerk, by _____ , Deputy

Form Adopted by the
Judicial Council of California
SC-140 [Rev. January 1, 1992]

NOTICE OF APPEAL
(Small Claims)

Rule 982.7
Code of Civil Procedure, § 116.710

SC-140

上訴申請
(NOTICE OF APPEAL)

法院名稱及地址:　　　　　　　　　　　　**小額法庭案件號碼：**

原告姓名及地址　　　　　　　　　**被告姓名及地址**

申請上訴的通知

致：____ 原告
　　____ 被告
你在小額法庭案件已被上訴到高等法院，請不要向小額法庭咨詢有關上訴事宜，上訴法院將通知你開庭日期。上訴申請如下。

日期：_____　　　　　　　　　書記官_____

上訴申請

我向高等法院提出上訴申請，原因如下：
不服從小額法庭裁決_____　　撤消缺席裁決動議被拒絕_____

上訴申請提交日期_____(由書記官填寫)
上訴申請人姓名_____申請人或申請人律師簽字_____
____ 本人爲被告_____的保險公司。本案被告被判的數額超過二千五百元，被告有保險公司提供保險來作賠償。
保險公司代表姓名_____　　　　　代表簽字 _____

書記官寄件證明

我證明：
1. 我與此案無關。
2. 這封上訴申請及申請通知以平信方式寄給
　　原告_____
　　被告_____
　　收件人地址是本表上述的地址。
3. 信件的寄發及本證明是在下述地點及日期所完成：
地址：_____, 加州
日期：_____, 書記官_____

表格 15：

Name and Address of Court:

SMALL CLAIMS CASE NO.

PLAINTIFF/DEMANDANTE *(Name and address of each)*:

DEFENDANT/DEMANDADO *(Name and address of each)*:

☐ See attached sheet for additional plaintiffs and defendants.

REQUEST TO PAY JUDGMENT TO COURT

1. **Instead of paying** the judgment directly to the creditor, I want to pay it to the court.
2. Date judgment was entered *(specify)*:
3. **Judgment creditor** *(the person or business you were ordered to pay)*
   a. Full name:
   b. Address *(use last known)*:

4. **I understand** that the amount of money I must pay to get a satisfaction of judgment is the total of the
   a. principal amount of money the court ordered me to pay,
   b. costs (if awarded by the court),
   c. interest accrued on the judgment,
   d. the court's processing fee, and
   e. other charges the court has added to the judgment. *(The court will calculate the total (see reverse).)*
5. **Partial payment** *(Complete this section if you have ALREADY PAID PART of the judgment.)*
   ☐ I have already paid part of the judgment.
   Amount paid: $ *(check one or both of the boxes below)*
   a. ☐ by check or money order. *(Attach a copy of both sides of the canceled check or money order.)*
   b. ☐ by cash. *(Attach a copy of the signed, dated cash receipt.)*
6. I understand that if I pay by personal check, satisfaction of judgment will be delayed 30 days.
7. **I request the court** to calculate the total amount required to enter a satisfaction of judgment, and to enter a satisfaction of judgment after I have paid the total amount to the court.

I declare under penalty of perjury under the laws of the State of California that the foregoing is true and correct.

Date:

⸻⸻⸻⸻⸻⸻⸻⸻⸻⸻
(TYPE OR PRINT NAME)

▶

⸻⸻⸻⸻⸻⸻⸻⸻⸻⸻
(SIGNATURE OF JUDGMENT DEBTOR)

Judgment creditor: See important notice on reverse.

CERTIFICATION	SATISFACTION OF JUDGMENT (for court use only)
I certify that this document is a true and correct copy of the original on file with this court. (Seal) Clerk, by _____, Deputy	(1) ☐ Full satisfaction of judgment entered as to judgment debtor *(name)*: on *(date)*: (2) ☐ Full satisfaction of judgment NOT entered as requested *(state reason)*: Clerk, by _____, Deputy

(Continued on reverse)

Form Adopted by the
Judicial Council of California
SC-145 [New January 1, 1990]

**REQUEST TO PAY
JUDGMENT TO COURT**
(Small Claims)

Rule 982.7

SC-145 (正面)

直接向法院付款申請
(REQUEST TO PAY JUDGMENT TO COURT)

法院名稱地址：　　　　　　　　　　　小額法庭案件號碼：

原告姓名地址　　　　　　　　　　　被告姓名地址

直接向法院分期付款申請

1. 我要求法院同意我向法院償還裁決債務而不是向裁決債權人直接付款。
2. 裁決簽發日期：＿＿＿
3. 裁決債權人(法院要求你付錢的對象)
   a. 全名：
   b. 地址：
4. 我知道我將必須償還以下的債務總額：
   a. 法院裁決的賠償金，
   b. 訴訟費用(如果法院要求的話)，
   c. 裁決賠償金利息，
   d. 法院審理費用，
   e. 其他法院裁決賠償的附加費用(法院會計算出來)
5. 部分賠償(如果已付部分賠償金，你可以填寫下列部份)
   a. ＿＿＿＿我已經支付部分賠償金
      付款金額：$＿＿＿＿＿＿＿　　　　(選擇以下其中一項或二項)
   b. ＿＿＿＿以支票或現金支票方式,(附上支票或現金支票副本)
   c. ＿＿＿＿現金方式,(附上有簽名及日期的現金收據)
6. 我知道如果我以個人支票付款，《裁決完成證明》將會被拖延三十天。
7. 我請求法院計算出我的債務總額，在我向法院交付全部金額後簽發(裁決完成證明)。

我發誓聲明上述屬實。
日期 ＿＿＿＿＿＿＿＿＿＿＿＿　　　　＿＿＿＿＿＿＿＿＿＿＿＿
　　　　　　申請人姓名　　　　　　　　　　　原告簽名

對裁決債權人的通知：請閱背面重要告示。

聲明	裁決完成證明(供法院使用)
我聲明這份文件屬實，是法院文件原件的複印件。 法院簽章 書記官＿＿＿＿	(1)＿＿債務人已完成全部的債務責任 姓名＿＿＿＿日期＿＿＿＿ (2)＿＿法院未能提供(裁決完成證明)原因是： 書記官:＿＿＿＿＿＿

表格 15：

PLAINTIFF:	CASE NUMBER:
DEFENDANT:	

FOR COURT USE ONLY

1. Judgment entered on *(date)*:

2. **Amount to be paid as of date of request** *(specify)*:
   - a. Unpaid principal . . . . $
   - b. Costs . . . . $
   - c. Post judgment costs . . . . $
   - d. Credits *(see receipts)* . . . . $
   - e. Interest accrued (to date in item 2, above) . . . . $
   - f. Processing fee . . . . $
   - g. Other *(specify)* . . . . $

   SUBTOTAL $

   Add interest at: $ per day *(from date in item 2)* . . . . $

   TOTAL | $ |

CLERK'S CERTIFICATE OF MAILING

I certify that I am not a party to this action. This Notice to Judgment Creditor was mailed first class, postage prepaid, in a sealed envelope to the address shown in item 3 on the reverse. The mailing and this certification occurred
at *(place)*:   California,
on *(date)*:

Clerk, by _____ , Deputy

NOTICE TO JUDGMENT CREDITOR

1. The judgment debtor has fully satisfied the judgment entered by making payment to the court in the amount shown above.

2. You may claim this money by
   - a. presenting this form in person to the court clerk during regular business hours,
     -OR-
   - b. mailing this form to the court.

3. Complete the Judgment Creditor's Request for Funds below.

4. Money not claimed within three years becomes the property of the court *(see Government Code sections 50050-50056)*.

JUDGMENT CREDITOR'S REQUEST FOR FUNDS

I request the court to pay the money to me by mail at my current address *(specify)*:

(Mail or deliver this form to the court clerk. Keep a photocopy for yourself.)

Date:

. . . .   ▶ _____
    (TYPE OR PRINT NAME)   (SIGNATURE OF JUDGMENT CREDITOR)

SC-145 [New January 1, 1990]   **REQUEST TO PAY JUDGMENT TO COURT** (Small Claims)   Page two

SC-145 (背面)　　　**直接向法院付款申請**
(REQUEST TO PAY JUDGMENT TO COURT)

原告： 被告：	案件號碼：

僅供法院使用

1. 裁決日期：_____ $_____
2. 在申請日時債務人需支付款總額 _____ $_____
   a. 未付賠償金 _____ $_____
   b. 費用 _____ $_____
   c. 法院裁決後費用 _____ $_____
   d. 已付款(附收據) _____ $_____
   e. 利息(到第 2 項日期爲止開始計算) _____ $_____
   f. 處理費 _____ $_____
   g. 其他(具體說明)_____ $_____
   　　　　　　　　　　　　　　　　　　　總額　$_____

書記官寄件證明

我證明我與此案無關。這封對裁決債務人的通知以平信方式寄給上述地址中的案件
當事人。郵寄文件和做出此證明于：
地址：_____, 加州，
日期：_____, 書記官_____

對裁決債權人的通知：
1. 裁決債務人按照裁決規定向法院付清上述全部賠償金。
2. 你可以(a)本人帶此表到法院(b)寄表回法院　來索賠償金。
3. 填妥以下的《裁決債權人領取賠償金申請》表格。
4. 如果三年之內沒有向法院索取賠償金，則賠償金歸法院所有。
裁決債權人領取賠償金申請

我請求法院將裁決賠償金寄給我，地址如下：

(將此申請寄還法院，自己保留複印件。)

日期：

_____　　_____
　　　　申請人姓名　　　　　　　　　　裁決債權人簽名

表格 16：

Name and Address of Court:

SMALL CLAIMS CASE NO.

PLAINTIFF/DEMANDANTE *(Name, address, and telephone number of each):*

DEFENDANT/DEMANDADO *(Name, address, and telephone number of each):*

Telephone No.:

Telephone No.:

Telephone No.:

Telephone No.:

☐ See attached sheet for additional plaintiffs and defendants.

REQUEST TO PAY JUDGMENT IN INSTALLMENTS

1. I request the court to allow me to make installment payments on the judgment entered against me in this case in the amount and manner stated below.

2. My request is based on this declaration, the court records, my completed financial declaration (Form EJ-165—*obtain from court clerk*) attached to this declaration, and any other evidence that may be presented.
   NOTE: YOU MUST ATTACH A COMPLETED FINANCIAL DECLARATION WITH THIS REQUEST TO MAKE INSTALLMENT PAYMENTS.

3. Judgment was entered against me in this matter on *(date):*　　　　　in the amount of *(specify):* $

4. Payment of the entire amount of the judgment at one time will be a hardship on me because *(specify):*

5. I can and will make payments toward the judgment in the amount of *(specify):* $　　　per ☐ week ☐ month.

6. I request the court to order that I make payments as specified in item 5 and that execution on the judgment be stayed as long as I make payments according to this schedule.

I declare under penalty of perjury under the laws of the State of California that the foregoing is true and correct.

Date:

▶

....
(TYPE OR PRINT NAME)

(SIGNATURE OF JUDGMENT DEBTOR)

NOTICE TO JUDGMENT CREDITOR

The judgment debtor has requested the court to allow payment of the judgment in installments. Complete the following and return this form to the court within 10 days. You will be notified of the court's order, or, if a hearing is necessary, the date of the hearing.

1. I am the judgment creditor, and I have read and considered the judgment debtor's request to make installment payments on the judgment.

2. a. ☐ I am willing to accept the payment schedule the judgment debtor has requested.
   b. ☐ I am willing to accept payments in the amount of *(specify):* $　　　per ☐ week ☐ month.
   c. ☐ I am opposed to accepting installment payments because *(specify):*

I declare under penalty of perjury under the laws of the State of California that the foregoing is true and correct.

Date:

▶

....
(TYPE OR PRINT NAME)

(SIGNATURE OF JUDGMENT CREDITOR)

SEE REVERSE FOR HEARING DATE, IF ANY.

(Continued on reverse)

Form Approved by the
Judicial Council of California
SC-106 [New January 1. 1992]

**REQUEST TO PAY JUDGMENT IN INSTALLMENTS
(Small Claims)**

Code of Civil Procedure, § 116.620(?

SC-106 (正面)

分期支付裁決申請書
(REQUEST TO PAY JUDGMENT IN INSTALLMENTS)

法院名稱地址：　　　　　　　　　　　　小額法庭案件號碼：

原告姓名地址：　　　　　　　　　　被告姓名地址：

裁決分期付款申請

1. 我要求法院同意我分期償還法院在此案件中對我裁決的債務。
2. 特此聲明。聲明文件 EJ－165 隨附此表格。
3. 法院對我的裁決簽發日期：＿＿＿＿＿＿＿數額:＿＿＿＿＿＿＿
4. 我無法一次性償還債務是因爲：(解釋原因)

5. 我將以分期付款方式償還債務總數：每＿＿星期＿＿＿月付$＿＿＿＿＿。
6. 我請求法院同意我的分期付款要求，法院裁決執行期延長至我按期完成分期付款。

我發誓聲明上述屬實。
日期 ＿＿＿＿＿＿＿＿＿＿＿　　　　　＿＿＿＿＿＿＿＿＿＿
　　　　　裁決債務人姓名　　　　　　　　裁決債務人簽名

對裁決債權人的通知

裁決債務人向法院提出分期償還債務申請，在十天內塡寫此表格並交還法院，法院將通知結果，如果需要開聽證會，法院將通知你開庭的日期。

1. 我是裁決債權人，我考慮了裁決債務人的分期付款要求。
2. a.＿＿我接受裁決債務人的分期付款要求和付款時間安排。
　　b.＿＿我接受分期付款總數：每＿＿星期，＿＿＿月付$＿＿＿＿＿，。
　　c.＿＿我不接受分期付款申請，原因如下：(解釋原因)

我發誓聲明上述屬實。
日期 ＿＿＿＿＿＿＿＿＿＿＿　　　　　＿＿＿＿＿＿＿＿＿＿
　　　　　裁決債權人姓名　　　　　　　　裁決債權人簽名

接背面。

表格 16：

NOTICE OF MOTION

A hearing will be held on this request as follows:

		DATE	DAY	TIME	PLACE
HEARING DATE FECHA DEL JUICIO	1.				
	2.				
	3.				
	4.				

COURT ORDER

1. ☐ The judgment debtor shall pay the full amount of the judgment immediately.
2. ☐ The judgment debtor may pay the judgment as follows:
   a. *(If initial lump sum ordered)* Pay $ _____ on *(date)*:
   b. Pay $ _____ or more on *(specify)*: _____ of every *(specify)*: _____
   until the judgment is fully paid.
3. *(Missed payments)* On the filing of an affidavit or declaration by the judgment creditor showing that any payment due has not been paid, this order shall be set aside and the clerk may issue a writ of execution immediately, without further order of the court.

Date:

_____
(JUDGE OR COMMISSIONER)

WARNING: IF YOU MISS A PAYMENT, THE BALANCE OWING ON THE JUDGMENT WILL BECOME DUE IMMEDIATELY.

CLERK'S CERTIFICATE OF MAILING—NOTICE TO JUDGMENT CREDITOR

I certify that I am not a party to this action. This Notice to Judgment Creditor was mailed first class, postage prepaid, in a sealed envelope to the responding party at the address shown on the reverse. The mailing and this certification occurred at *(place)*: _____ , California,
on *(date)*:

Clerk, by _____ , Deputy

CLERK'S CERTIFICATE OF MAILING — NOTICE OF MOTION

I certify that I am not a party to this action. This Notice of Motion was mailed first class, postage prepaid, in a sealed envelope to the responding party at the address shown on the reverse. The mailing and this certification occurred at *(place)*: _____ , California,
on *(date)*:

Clerk, by _____ , Deputy

CLERK'S CERTIFICATE OF MAILING — COURT ORDER

I certify that I am not a party to this action. This Court Order was mailed first class, postage prepaid, in a sealed envelope to the responding party at the address shown on the reverse. The mailing and this certification occurred at *(place)*: _____ , California,
on *(date)*:

Clerk, by _____ , Deputy

SC-106 [New January 1, 1992]

REQUEST TO PAY JUDGMENT IN INSTALLMENTS
(Small Claims)

Page two

SC-106 (背面)   **裁決分期付款申請**
(REQUEST TO PAY JUDGMENT IN INSTALLMENTS)

動議通知

有關此申請的聽證會時間安排：

年月	日期	時間	地點

法院命令

1. _____ 裁決債務人必須馬上償付全部債務。
2. _____ 裁決債務人可以按以下規定付款
     a. 在 _____(日期) 付 $ _____。
     b. 每 _____(時間) 付 $ _____或更多，直至全部欠款付清。
3. 若債權人提供聲明，證實欠款逾期未付分期付款款項，則此裁決分期付款無效，
     債權人可以不需要法院而由書記官直接簽發執行令，要求強制性一次付清餘款。
     日期：

                       _____
                              法官簽名

警告：如果逾期不付分期賠款，則需立即一次性付清全部餘款。

書記官寄件證明－通知裁決債權人

我證明我與此案無關。這封對裁決債務人的通知以平信方式寄給上述地址中的案件
當事人。郵寄文件和做出此證明於：
地址：_____, 加州，
日期：_____, 書記官_____

書記官寄件證明－動議通知

我證明我與此案無關。這封動議申請以平信方式寄給上述地址中的案件當事人。
郵寄文件和做出此證明於：
地址：_____, 加州，
日期：_____, 書記官_____

書記官寄件證明－法院命令

我證明我與此案無關。這封法院命令以平信方式寄給上述地址中的案件當事人。
郵寄文件和做出此證明於：
地址：_____, 加州，
日期：_____, 書記官_____

表格 17：

JUDGMENT CREDITOR (the person or business who won the case) *(name)*:

JUDGMENT DEBTOR (the person or business who lost the case and owes money) *(name)*:

SMALL CLAIMS CASE NO.:

NOTICE TO JUDGMENT DEBTOR: You *must* (1) pay the judgment or (2) appeal or (3) file a motion to vacate. If you fail to pay or take one of the other two actions, you must complete and mail this form to the judgment creditor. If you do not, you may have to go to court to answer questions and may have penalties imposed on you by the court.	AVISO AL DEUDOR POR FALLO JUDICIAL: Usted debe (1) pagar el monto del fallo judicial, o (2) presentar un recurso de apelación o (3) presentar un recurso de nulidad. Si usted no paga el fallo o presenta uno de estos dos recursos, deberá llenar y enviar por correo este formulario a su acreedor por fallo judicial. Si no lo hace, es posible que deba presentarse ante la corte para contestar preguntas y pagar las multas que la corte le pueda imponer.

INSTRUCTIONS

The small claims court has ruled that you owe money to the judgment creditor.

1. You may appeal a judgment against you only on the other party's claim. You may *not* appeal a judgment against you on *your* claim.

   a. If you appeared at the trial and you want to appeal, you must file a *Notice of Appeal* (form SC-140) within 30 days after the date the *Notice of Entry of Judgment* (form SC-130) was mailed or handed to you by the clerk.

   b. If you did not appear at the trial, before you can appeal, you must first file a *Notice of Motion to Vacate Judgment and Declaration (form SC-135)* and pay the required fee within 30 days after the date the *Notice of Entry of Judgment* was mailed or handed to you, and the judgment cannot be collected until the motion is decided. If your motion is denied, you then have 10 days after the date the notice of denial was mailed to file your appeal.

2. Unless you **pay the judgment or appeal or file a motion to vacate, you must fill out this form and mail it to the person who won the case** within **30 days** after the *Notice of Entry of Judgment* was mailed or handed to you by the clerk.

3. If you lose your appeal or motion to vacate, you must pay the judgment, including post-judgment costs and interest, and complete and mail this form to the judgment creditor within **30 days** after the date the clerk mails or delivers to you (a) the denial of your motion to vacate, or (b) the dismissal of your appeal, or (c) the judgment against you on your appeal.

4. As soon as the small claims court denies your motion to vacate and the denial is not appealed, or receives the dismissal of your appeal or judgment from the superior court after appeal, the judgment is no longer suspended and may be immediately enforced against you by the judgment creditor.

If you were sued as an individual, skip this box and begin with item 1 below. Otherwise, check the applicable box, attach the documents indicated, and complete item 15 on the reverse.

a. ☐ *(Corporation or partnership)* Attached to this form is a statement describing the nature, value, and exact location of all assets of the corporation or the partners, and a statement showing that the person signing this form is authorized to submit this form on behalf of the corporation or partnership.

b. ☐ *(Governmental agency)* Attached to this form is the statement of an authorized representative of the agency stating when the agency will pay the judgment and any reasons for its failure to do so.

JUDGMENT DEBTOR'S STATEMENT OF ASSETS

EMPLOYMENT

1. What are your sources of income and occupation? *(Provide job title and name of division or office in which you work.)*

2. a. Name and address of your business or employer *(include address of your payroll or human resources department, if different)*:

   b. If not employed, names and addresses of all sources of income *(specify)*:

3. How often are you paid?
   ☐ daily ☐ every two weeks ☐ monthly
   ☐ weekly ☐ twice a month ☐ other *(explain)*:
4. What is your gross pay each pay period? $
5. What is your take-home pay each pay period? $
6. If your spouse earns any income, give the name of your spouse, the name and address of the business or employer, job title, and division or office *(specify)*:

(Continued on reverse)

Form Approved by the
Judicial Council of California
SC-133 [Rev. January 1, 1998]
JUDGMENT DEBTOR'S STATEMENT OF ASSETS
(Small Claims)
Cal. Rules of Court, rule 982.7(a);
Code of Civil Procedure,
§§ 116.820(a), 116.830

SC-133 (正面)

裁決債務人的財產聲明
(JUDGMENT DEBTOR'S STATEMENT OF ASSETS)

小額法庭案件號碼：

債權人(勝方)姓名及地址：

債務人(敗方)姓名及地址：

告知債務人：你必須(1)支付法院裁決的賠償款，或(2)提出上訴，或(3)提出撤銷裁決的動議。如果你不採取上述措施，你必須填妥此表格，並將此表寄給債權人。如果你不這樣做，你可能需要出庭來回答這此問題，法院可以會加重你的懲罰。

說明
小額法庭裁定你敗訴而要向對方支付賠償。
1. 你只能上訴別人告你而法院裁定你敗訴的案件，不能上訴你提出而敗訴的案件。(a)如果你出庭且想要求上訴，你必須在收到《法院裁決通知書》的三十天內遞交《上訴通知》。(b)如果你沒有出庭而法院作出裁決，你必須在收到法院裁定的三十天內遞交《撤回裁決的動議》，在動議裁決前，對方不能收款。如果你的動議被拒，你必須在被拒的十天內提出上訴。
2. 除非你已付款，或上訴或提出撤案動議，否則你必須在收到法院裁決通知書的三十天內填妥此表格並寄給勝方。
3. 如果你上訴或撤案動議失敗，你必須在收到法院裁定通知的三十天內支付欠款，並填妥此表寄給債權人。
4. 如果你上訴及撤案動議被拒，債權人可以馬上採取收債行動。

裁決債務人的財產聲明
工作情況
1. 你做什麼工作和你的收入來源是什麼？(工作職稱和公司)

2. a.你的生意或雇主的姓名和地址：

   b.如果失業，你收入來源的姓名及地址是：
3. 領取工資周期：
   __每日   __每兩周   __每月
   __每周   __一個月兩次   __其他
4. 你的每次工資毛額是多少？$_____
5. 你每次領薪時實際拿到的工資是多少？$_____
6. 如果你的配偶有收入，請提供配偶的工作情況：生意的名稱和地址、雇主的姓名、工作職稱、工作地點。

表格 17：

CASH, BANK DEPOSITS

7. How much money do you have in cash?. . . . . $
8. How much other money do you have in banks, savings and loans, credit unions, and other financial institutions either in your own name or jointly *(list)*:

Name and address of financial institution	Account number	Individual or joint?	Balance
a.			$
b.			$
c.			$

PROPERTY

9. List all automobiles, other vehicles, and boats owned in your name or jointly:

Make and year	Value	Legal owner if different from registered owner	Amount owed
a.	$		$
b.	$		$
c.	$		$
d.	$		$

10. List all real estate owned in your name or jointly:

Address of real estate	Fair market value		Amount owed
a.	$		$
b.	$		$

OTHER PERSONAL PROPERTY *(Do not list household furniture and furnishings, appliances, or clothing.)*

11. List anything of value not listed above owned in your name or jointly *(continue on attached sheet if necessary)*:

Description	Value	Address where property is located
a.	$	
b.	$	
c.	$	

12. Is anyone holding assets for you? ☐ Yes. ☐ No. If yes, describe the assets and give the name and address of the person or entity holding each asset *(specify)*:

13. Have you disposed of or transferred any asset within the last 60 days? ☐ Yes. ☐ No. If yes, give the name and address of each person or entity who received any asset and describe each asset *(specify)*:

14. If you are not able to pay the judgment in one lump sum, you may be able to make payment arrangements with the person or business who won the case (the judgment creditor). State the amount that you can pay each month: $, beginning on *(date)*:   . If you are unable to agree, you may also ask the court for permission to make installment payments by filing a *Request to Pay Judgment in Installments* (form SC-106).

15. I declare under penalty of perjury under the laws of the State of California that the foregoing is true and correct.

Date:

. . . .
(TYPE OR PRINT NAME)   ▶   (SIGNATURE)

Mail or deliver this completed form to the judgment creditor at the address shown on the Notice of Entry of Judgment form.

SC-133 [Rev. January 1, 1998]
JUDGMENT DEBTOR'S STATEMENT OF ASSETS
(Small Claims)
Page two

SC－133(背面)：

現金，銀行存款

7. 你有多少現金？_____ $_____

8. 屬於你個人名下或共同擁有的銀行存款、儲蓄、貸款、信用金和其他：

銀行機構	帳戶號碼	個人或共同改	數額
a.			$
b.			$
c.			$

財產

9. 列舉所有你個人擁有或共同擁有的汽車和船。

製造商和年份	價值	法律擁有人若不同於登記擁有人	自己擁有價值
a.	$		$
b.	$		$
c.	$		$

10. 列舉所有你個人擁有或共同擁有房地產。

房產地址	平均市場價值	自己擁有價值
a.	$	$
b.	$	$
c.	$	$

個人擁有的其他私人財產。(不包括傢俱衣物等)

11. 列舉所有你個人擁有的其他私人財產。

財產描述	平均市場價值	自己擁有價值
a.	$	$
b.	$	$
c.	$	$

12. 有他人爲你掌管財務？____ 有____沒有。如果有，列舉財物和財物掌管人的姓名地址。

13. 在過去的 60 天內，你是否有轉讓和放棄財產？____ 有____沒有。 如果有，對每一個轉讓或放棄的財物做出描述並列舉接受人的姓名地址：

14. 如果你無法一次性付清全部債務，你可以裁決債權人協商以分期付款方式償付債務。你每月可以支付 $_____，開始日期_____。如果對方不同意，你可以向法院申請分期付款償還債務。

15. 我發誓聲明上述屬實。

日期 _____   _____

裁決債務人姓名   裁決債務人簽名

表格 18：

ATTORNEY OR PARTY WITHOUT ATTORNEY *(Name and Address)*:

☐ Recording requested by and return to:

TELEPHONE NO.:

☐ ATTORNEY FOR ☐ JUDGMENT CREDITOR ☐ ASSIGNEE OF RECORD

NAME OF COURT:

STREET ADDRESS:

MAILING ADDRESS:

CITY AND ZIP CODE:

BRANCH NAME:

PLAINTIFF:

DEFENDANT:

WRIT OF

☐ **EXECUTION (Money Judgment)**
☐ **POSSESSION OF** ☐ **Personal Property**
　　　　　　　　　　 ☐ **Real Property**
☐ **SALE**

CASE NUMBER:

FOR COURT USE ONLY

1. **To the Sheriff or any Marshal or Constable of the County of:**

   You are directed to enforce the judgment described below with daily interest and your costs as provided by law.

2. **To any registered process server:** You are authorized to serve this writ only in accord with CCP 699.080 or CCP 715.040.

3. *(Name)*:
   is the ☐ judgment creditor ☐ assignee of record
   whose address is shown on this form above the court's name.

4. **Judgment debtor** *(name and last known address)*:

5. **Judgment entered** on *(date)*:

6. ☐ **Judgment renewed** on *(dates)*:

7. **Notice of sale** under this writ
   a. ☐ has not been requested.
   b. ☐ has been requested *(see reverse)*.

8. ☐ Joint debtor information on reverse.

[SEAL]

9. ☐ See reverse for information on real or personal property to be delivered under a writ of possession or sold under a writ of sale.

10. ☐ This writ is issued on a sister-state judgment.

11. Total judgment . . . . $

12. Costs after judgment (per filed order or memo CCP 685.090) . . . . $

13. Subtotal *(add 11 and 12)* . . . . $ _____

14. Credits . . . . $

15. Subtotal *(subtract 14 from 13)* . . . . . $ _____

16. Interest after judgment (per filed affidavit CCP 685.050) . . . . $

17. Fee for issuance of writ . . . . $

18. **Total** *(add 15, 16, and 17)* . . . . . . $

19. Levying officer:
   (a) Add daily interest from date of writ
       (at the legal rate on 15) of. . . . . $
   (b) Pay directly to court costs included in 11 and 17 (GC 6103.5, 68511.3; CCP 699.520(i)) . . . . $

20. ☐ The amounts called for in items 11-19 are different for each debtor. These amounts are stated for each debtor on Attachment 20.

☐ additional judgment debtors on reverse

Issued on *(date)*:　　　　　　 Clerk, by _____, Deputy

— **NOTICE TO PERSON SERVED: SEE REVERSE FOR IMPORTANT INFORMATION.** —

(Continued on reverse)

Form Approved by the Judicial Council of California
EJ-130 [Rev. January 1, 1997*]

WRIT OF EXECUTION

Code of Civil Procedure, §§ 699.520, 712.010, 715.010

* See note on reverse.

- 186 -

EJ－130(正面)   **執行令**
(WRIT OF EXECUTION)

律師或未請律師的原告/被告 姓名地址　　　電話 ＿＿律師代表　＿＿債權人　　＿＿債權人代表	法院使用
法院名稱： 地址： 通信地址： 城市和郵遞區號： 分部名稱：	
原告： 被告：	
法官令　＿＿**執行令** 　　　　　＿＿**擁有令**　＿＿**個人財產** 　　　　　　　　　　　＿＿**房產** 　　　　　＿＿**出售令**	案件號碼：

1. 致＿＿＿＿＿＿縣司法執行官及警察：
   你有權依法執行以下裁決並收取每日的利息
   及你執行的費用：

2. 致註冊遞送人：依照法律規定，你
   有權送遞這份執行令。

> **法院使用**

3. ＿＿＿＿＿＿＿＿(姓名)
   是＿＿裁決債權人＿＿裁決債權人代表。
   地址在上述法院地址上面。

4. 債務人：姓名地址
   ＿＿＿＿＿＿＿＿＿＿＿＿＿＿
   ＿＿＿＿＿＿＿＿＿＿＿＿＿＿

5. 裁決日期：
6. ＿＿＿＿ 裁決重延日期是：
7. 出售令：
   a. ＿＿＿仍未申請
   b. ＿＿＿已經申請
8. ＿＿＿共同債務人地址在背面。

9. ＿＿＿執行令私人財產和房產
   出售令資料在背面
10. ＿＿此執行令是屬外州裁決
11. 裁決總額：$＿＿＿
12. 裁決後費用花費：$＿＿＿
13. 總額：(11 加 12) $＿＿＿
14. 已付額：$＿＿＿
15. 全部總額：(13 減 14) $＿＿＿
16. 裁決後利息：
17. 執行令申請費用：$＿＿＿
18. 最終總額：$＿＿＿
19. 徵收辦公室工作人員：$＿＿＿
    (a) 加上執行令後每日利息：$＿＿＿
    (b) 向法院直接付賠償金費用：$＿＿＿
20. 每位債務人 11 到 19 項數額不同，參
    見附件。

> 法院簽章
>
> 簽發日期：

書記官：＿＿＿＿＿＿＿＿＿＿＿＿＿

接收者請注意：請閱讀背面重要的資料

表格 18：

SHORT TITLE:	CASE NUMBER:

— Items continued from the first page —

4. ☐ **Additional judgment debtor** *(name and last known address):*

7. ☐ **Notice of sale** has been requested by *(name and address):*

8. ☐ **Joint debtor** was declared bound by the judgment (CCP 989-994)
    a. on *(date):*   a. on *(date):*
    b. name and address of joint debtor: b. name and address of joint debtor:

    c. ☐ additional costs against certain joint debtors *(itemize):*

9. ☐ *(Writ of Possession or Writ of Sale)* **Judgment** was entered for the following:
    a. ☐ Possession of real property: The complaint was filed on *(date):*   **(Check (1) or (2)):**
        (1) ☐ The Prejudgment Claim of Right to Possession was served in compliance with CCP 415.46.
                The judgment includes all tenants, subtenants, named claimants, and other occupants of the premises.
        (2) ☐ The Prejudgment Claim of Right to Possession was NOT served in compliance with CCP 415.46.
            (a) $ was the daily rental value on the date the complaint was filed.
            (b) The court will hear objections to enforcement of the judgment under CCP 1174.3 on the following
                dates *(specify):*
    b. ☐ Possession of personal property
        ☐ If delivery cannot be had, then for the value *(itemize in 9e)* specified in the judgment or supplemental order.
    c. ☐ Sale of personal property
    d. ☐ Sale of real property
    e. Description of property:

— NOTICE TO PERSON SERVED —

WRIT OF EXECUTION OR SALE. Your rights and duties are indicated on the accompanying Notice of Levy.
WRIT OF POSSESSION OF PERSONAL PROPERTY. If the levying officer is not able to take custody of the property, the levying officer will make a demand upon you for the property. If custody is not obtained following demand, the judgment may be enforced as a money judgment for the value of the property specified in the judgment or in a supplemental order.
WRIT OF POSSESSION OF REAL PROPERTY. If the premises are not vacated within five days after the date of service on the occupant or, if service is by posting, within five days after service on you, the levying officer will remove the occupants from the real property and place the judgment creditor in possession of the property. Except for a mobile home, personal property remaining on the premises will be sold or otherwise disposed of in accordance with CCP 1174 unless you or the owner of the property pays the judgment creditor the reasonable cost of storage and takes possession of the personal property not later than 15 days after the time the judgment creditor takes possession of the premises.
► A Claim of Right to Possession form accompanies this writ (unless the Summons was served in compliance with CCP 415.46).

EJ-130 [Rev. January 1, 1997*]   * NOTE: Continued use of form EJ-130 (Rev. July 1, 1996) is authorized through December 31, 1997.
WRIT OF EXECUTION   Page two

EJ－130(背面)
案件名稱 **案件號碼：**

_____接上面_____

4. _____其它債務人(姓名地址)

7. _____ 下列人士提出申請出售令(姓名地址)

8. _____ 法院裁定下列為共同債務人：
    a. 裁定日期：   a. 裁定日期：
    b. 共同債務人姓名地址：   b. 共同債務人姓名地址：

    c. _____單獨債務人的額外費用：

9. _____ 轉讓財物執行令或出售財物執行令簽發如下：

    a. ____房產轉讓令。簽發日期：
      （1）_____ 債權人依法向房產業主提供通知，並且裁
           決賠償包括所有的租客，分租客以及所有居住的人士
      （2）_____ 沒有向房地產業主提供通知
        （a）在訴訟時每日的租金為_____
        （b）法院會在下述日期聽取反對執行法院裁決動議

    b. ____私人財產轉讓令
    ____若無法轉讓，則抵價以償還賠償金形式賠償。
    c. ____私人財產出售令
    d. ____房產出售令
    e. 財產描述如下：

表格 19：

Name and Address of Court:

SMALL CLAIMS CASE NO.:

PLAINTIFF/DEMANDANTE *(Name, street address, and telephone number of each)*:

DEFENDANT/DEMANDADO *(Name, street address, and telephone number of each)*:

Telephone No.:

Telephone No.:

☐ See attached sheet for additional plaintiffs and defendants.

ORDER TO APPEAR FOR EXAMINATION—SMALL CLAIMS

1. TO JUDGMENT DEBTOR *(name)*:
2. YOU ARE ORDERED to
   a. pay the judgment and file proof of payment (a canceled check or money order or cash receipt, and a written declaration that shows full payment of the judgment, including post-judgment costs and interest) with the court before the hearing date shown in the box below, **or**
   b. personally appear in this court on the date and time shown in the box below to explain why you did not appear and mail the *Judgment Debtor's Statement of Assets* (form SC-133) to judgment creditor within 30 days after the *Notice of Entry of Judgment* (form SC-130) was mailed or handed to you by the clerk, and to answer questions as to your income and assets.

HEARING DATE FECHA DEL JUICIO	DATE	DAY	TIME	PLACE	COURT USE
1.					
2.					
3.					

If you fail to appear and have not paid the judgment, including post-judgment costs and interest, a bench warrant may be issued for your arrest, you may be held in contempt of court, and you may be ordered to pay penalties.	Si usted no se presenta y no ha pagado el monto del fallo, inclusive las costas e intereses posteriores al fallo, la corte puede expedir una orden de detención contra usted, declararle en desacato y ordenar que pague multas.

3. This order may be served by a sheriff, marshal, or registered process server.

Date:

▶ _____
(SIGNATURE OF JUDGE)

APPLICATION FOR ORDER TO APPEAR FOR EXAMINATION—SMALL CLAIMS

1. Judgment creditor (the person who won the case) *(name)*:   applies for an order requiring judgment debtor (the person or business who lost the case and owes money) *(name)*:   to (a) pay the judgment **or** (b) personally appear in this court to explain why judgment debtor did not pay the judgment or complete and mail the *Judgment Debtor's Statement of Assets* to judgment creditor within 30 days after the *Notice of Entry of Judgment* was mailed or handed to judgment debtor, and to answer questions as to judgment debtor's income and assets.

2. Judgment creditor states the following:
   a. Judgment debtor has not paid the judgment.
   b. Judgment debtor either did not file an appeal or the appeal has been dismissed or judgment debtor lost the appeal.
   c. Judgment debtor either did not file a motion to vacate or the motion to vacate has been denied.
   d. More than 30 days have passed since the *Notice of Entry of Judgment* form was mailed or delivered to judgment debtor.
   e. Judgment creditor has not received a completed *Judgment Debtor's Statement of Assets* form from judgment debtor.

I declare under penalty of perjury under the laws of the State of California that the foregoing is true and correct.
Date:

▶ _____
(TYPE OR PRINT NAME)   (See Instructions on reverse)   (SIGNATURE OF JUDGMENT CREDITOR)

— The county provides small claims advisor services free of charge. —

Form Adopted by the Judicial Council of California
SC-134 [New January 1, 1998]

APPLICATION AND ORDER TO APPEAR FOR EXAMINATION
(Small Claims)

Cal. Rules of Court, rule 982.7(a);
Code of Civil Procedure,
§§ 116.620, 116.830

表格 19：

SC－134

提供財產證明文件及個人財產檢審會申請
(APPLICATION AND ORDER TO PRODUCE STATEMENT OF ASSETS AND TO APPEAR FOR EXAMINATION)

案件號碼：

原告/被告的姓名、地址和電話　　　　被告/原告的姓名、地址和電話

出席個人財產檢審會之命令－小額法庭

1. 被通知的裁決債務人：（姓名）
2. 你被命令：
   a. 在下面通知的檢審會日期前，向法庭提供證明，如支票、現金支票等，向法院證實你已經繳付全額賠償金。或者
   b. 本人

年月	日期	時間	地點	法庭使用

3. 這一通知可能由警察遞送。
日期：＿＿＿＿＿＿＿　　法官簽名＿＿＿＿＿＿＿＿＿＿＿

個人財產檢審會命令申請表－小額法庭

1. 債權人（姓名）＿＿＿＿＿，對裁決債務人（姓名）＿＿＿＿＿，　向法院提出申請要求：
   (a) 按照法庭裁決繳付全額賠償金。或者
   (b) 債務人親自出庭，向法院解釋爲何在收到《法院裁決通知書》後的三十天內未按要求向債務人提供《財務聲明》，並且親自到庭接受對方有關財產方面的查問。
2. 裁決債權人聲明如下：
   (a) 債務人沒有償還裁決債務。
   (b) 債務人沒有提出上訴或上訴被撤案或上訴敗訴。
   (c) 債務人沒有提出動議撤消缺席裁決或動議撤消缺席裁決被拒決。
   (d) 債務人收到法院裁決超過 30 天。
   (e) 債權人沒有收到債務人的財產報告。

我宣誓聲明上述屬實。

日期＿＿＿＿＿＿＿＿　　　　＿＿＿＿＿＿＿＿＿＿
　　　債權人姓名　　　　　　　　債權人簽名

表格 20：

ATTORNEY OR PARTY WITHOUT ATTORNEY *(Name and Address):*   TELEPHONE NO.:   FOR RECORDER'S OR SECRETARY OF STATE'S USE ONLY

ATTORNEY FOR *(Name):*

NAME OF COURT:
STREET ADDRESS:
MAILING ADDRESS:
CITY AND ZIP CODE:
BRANCH NAME:

PLAINTIFF:

DEFENDANT:

CASE NUMBER:

ACKNOWLEDGMENT OF SATISFACTION OF JUDGMENT
☐ FULL   ☐ PARTIAL   ☐ MATURED INSTALLMENT

FOR COURT USE ONLY

1. Satisfaction of the judgment is acknowledged as follows *(see footnote* before completing):*
   a. ☐ Full satisfaction
      (1) ☐ Judgment is satisfied in full.
      (2) ☐ The judgment creditor has accepted payment or performance other than that specified in the judgment in full satisfaction of the judgment.
   b. ☐ Partial satisfaction
      The amount received in partial satisfaction of the judgment is
      $
   c. ☐ Matured installment
      All matured installments under the installment judgment have been satisfied as of *(date):*
2. Full name and address of judgment creditor:

3. Full name and address of assignee of record, if any:

4. Full name and address of judgment debtor being fully or partially released:

5. a. Judgment entered on *(date):*
         ☐ (1) in judgment book volume no.:   (2) page no.:
   b. ☐ Renewal entered on *(date):*
         ☐ (1) in judgment book volume no.:   (2) page no.:

6. ☐ An ☐ abstract of judgment ☐ certified copy of the judgment has been recorded as follows *(complete all information for each county where recorded):*
   COUNTY   DATE OF RECORDING   BOOK NUMBER   PAGE NUMBER

7. ☐ A notice of judgment lien has been filed in the office of the Secretary of State as file number *(specify):*

NOTICE TO JUDGMENT DEBTOR: If this is an acknowledgment of full satisfaction of judgment, it will have to be recorded in each county shown in item 6 above, if any, in order to release the judgment lien, and will have to be filed in the office of the Secretary of State to terminate any judgment lien on personal property.

Date:

▶

(SIGNATURE OF JUDGMENT CREDITOR OR ASSIGNEE OF CREDITOR OR ATTORNEY)

*The names of the judgment creditor and judgment debtor must be stated as shown in any Abstract of Judgment which was recorded and is being released by this satisfaction. **A separate notary acknowledgment must be attached for each signature.**

Form Approved by the
Judicial Council of California
EJ-100 [Rev. July 1, 1983] (Cor. 7/84)

ACKNOWLEDGMENT OF SATISFACTION OF JUDGMENT

CCP 724.060, 724.120, 724.250

EJ－100　　　　　　**裁決完成證明**
(ACKNOWLEDGMENT OF SATISFACTION OF JUDGMENT)

律師或未有律師的原告/被告　　電話：	法院使用
律師所代表的姓名：	
法院名稱：	
地址：	
通信地址：	
城市和郵遞區號：	
分部名稱：	
原告：	
被告：	
裁決完成證明 ＿＿全部 ＿＿部分 ＿＿到期的分期付款	案件號碼：

1. 裁決完成如下：

　　　a. ＿＿＿全額付清：

　　　　　(1).＿＿＿裁決全額付清。

　　　　　(2).＿＿＿債權人接受裁決以外的其他補償，債務償還已完成。

　　　b. ＿＿＿部分完成：

　　　　　完成金額：

　　　c. ＿＿＿到期的分期付款：

　　　　　到下述日期爲止，所有到期的分期付款已完成，：

2. 裁決債權人的姓名及地址：
3. 如果債權人有債務代表，名稱及地址：
4. 法院裁決免除全部或部份責任的其它債務人全名及地址：
5. a. 裁決日期：

　　　　　(1)裁決書章節＿＿＿，　　　　　　　(2)頁數＿＿＿：

　　　b.裁決重延日期：

　　　　　(1)裁決書章節＿＿＿，　　　　　　　(2)頁數＿＿＿：

6. 有一份＿＿＿ 裁決證明＿＿＿裁決公證複印件 已在下述縣政府登記：

　　　縣　　　　　登記日期　　　　　登記號碼　　　　　頁數號碼

7. ＿＿＿＿＿ 已向州務卿辦公室登記財產抵押留置狀，文件號碼：

對裁決債務人的通知：這是一份法院裁決完成證明，將被記錄在縣政府，如果在財產上有留置抵押狀，這份證明可用作取消財產留置抵押的證明。

簽發日期：＿＿＿＿＿＿＿＿＿＿　　　　　　　　　　＿＿＿＿＿＿＿＿＿＿＿＿＿＿＿＿＿＿

　　　　　　　　　　　　　　　　　　　　　債權人,債務代表或律師代表簽名

法院使用

二、美國各州小額法庭的法規

　　小額法庭是屬於區域性的民事案件，因而受到各地州法的管轄。由於各州的州法有所不同，各州的小額法庭也有所不同。下述是各州小額法庭的一般法規，由於有些法規將會有一些改動，並且由於每一個地方的小額法庭有可能和其他地方有些差異，在你作出法律決定之前，請務必瞭解當地小額法庭的具體法規。

　　無論你是被告還是原告，都應該打電話到當地的小額法庭諮詢或者上網查看你所需要的資料。我們在這裏提供了各州小額法庭的網址。你也可以到http://www.findlaw.com 小額法庭中心的網址查詢。

1. 阿拉巴馬州 ALABAMA

網址： http://www.alacourt.org/Publications/sc questions.htm
小額法庭名稱： SMALL CLAIMS DOCKET (DISTRICT COURT)

最高上額： $3,000美元。
訴訟地方： 被告所在的縣或區、傷害發生或財產受損所在地、

原告或被告公司生意所在地。

傳票送達方式：由警察或經法院認可的成年人送遞傳票，或者是掛號信郵遞傳票。

能否轉移法庭：不能。

能否由律師代表：可以由律師代表。追債公司代理必須由律師出面代理。

上訴程序：原告及被告雙方在收到裁決14天內均可提出。在巡迴法庭重新審理。

是否審理驅逐房客事務：不受理。必須到一般法庭進行訴訟。

時效性限制：書面合約6年；口頭合約6年；人體傷害2年；財物損壞6年。

法院裁決的執行期限：本州裁決20年；在本州登記的外州裁決20年。

注意事項：被告必須在收到傳票14天內作出書面答覆，否則法庭將會作出缺席裁決。

2. 阿拉斯加州 ALASKA

網址： http://www.state.ak.us/courts/forms.htm#sc

小額法庭名稱：SMALL CLAIMS (DISTRICT COURT JUDGES AND MAGISTRATES)

最高上額：$7,500美元。

訴訟地方：被告居住地或工作所在地、傷害或財產損失發生地，或被告生意所在地。

傳票送達方式：由警察送遞或以掛號信郵遞。

能否轉移法庭：被告 (或已被反訴的原告) 或法官可以轉移案件到普通地方法庭。

能否由律師代表：允許。追債公司代理必須由律師代表。

上訴程序：對於高於$50美金的索賠，原告被告雙方均可提出上訴，但上訴理由是所依據的法律有誤或法官解釋法律不當，不能以事實不符為上訴理由。

是否受理驅逐房客事務：不允許。

時效性限制：書面合約3年；口頭合約3年；人體傷害2年；財物損壞6年。

法院裁決的執行期限：本州裁決10年；在本州登記的外州裁決10年；

注意事項：

一、被告必須在收到傳票20天內作出書面答覆，否則將被缺席裁決。

二、不可以在小額法庭訴訟州政府。

3. 亞利桑那州 ARIZONA

網址： http://www.supreme.state.az.us/info/brochures/
smclaims.htm

小 額 法 庭 名 稱 ： JUSTICE OF THE PEACE (SMALL
CLAIMS DIVISION) AND REGULAR JUSTICE
COURT

最高上額：$2,500美元 (小額法庭)；$5,000 (普通地方法院)。

訴訟地方：被告居住地、疏忽或違約行為發生地、合夥公司生
意所在地。

傳票送達方式：由警察或被法院認可的成年人送遞傳票，或者
是以有簽收回執的掛號信寄送傳票。

能否轉案：如果被告反訴金額超過$2,500，或被告在聽證會十
天前提出反對，可以轉案到普通地方法院。如果被告
反訴金額超過$5,000美金，可以轉庭到高級法院。

能否由律師代表：在原被告雙方書面同意下允許。

上訴程序：在小額法庭不受理，在地方法院受理。

是否受理驅逐房客事務：在小額法庭不受理，在地方法院受
理。

時效性限制：書面合約6年；口頭合約3年；人體傷害2年；財
物損壞2年。

法院裁決的執行期限：本州裁決5年；在本州登記的外州裁決4
年。

陪審團審判：在小額法庭不受理，在地方法院受理。

注意事項：

一、被告必須在收到傳票20天內作出書面答覆，否則法
庭將會作出缺席裁決

二、追債公司代理不允許在小額法庭訴訟，可以在地方
法院提出訴訟。

4. 阿肯色州 ARKANSAS

網址： http://www.state.ak.us/courts/forms.htm

小額法庭名稱：城市：MUNICIPAL COURT (SMALL
CLAIMS DIVISION)
鄉鎮：JUSTICE OF THE PEACE (治安法院)

最高上額：$5,000美元。

訴訟地方：被告居住地、違反承諾和疏忽行為發生地、合夥公
司生意所在地。

傳票送達方式：由警察送遞傳票 (只限於治安法院)，或者以掛
號信寄送傳票 (只限於小額法庭)。

能否轉移法庭：對於小額訴訟，如果法官得知原、被告雙方任
何一方有律師代表，則案件必須轉移到市法院。在治

安法院無轉案條款。

能否由律師代表：對於小額法庭不允許有律師代表。在治安法
庭允許有律師代表。

上訴程序：原被告雙方在30天內均可提出，在巡迴法庭重新審
理。

是否受理驅逐房客事務：在小額法庭不受理，在地方法院受
理。

陪審團審判：在小額法庭不受理，在治安法院受理。

時效性限制：書面合約5年；口頭合約5年；人體傷害3年；財
物損壞3年。

法院裁決的執行期限：本州裁決10年；在本州登記的外州裁決
10年。

注意事項：

一、追債公司代理不能在小額法庭訴訟。

二、被告如果在居住在本州內，必須在收到傳票20天內
作出書面答覆；如果被告在州外，必須在30天內作
出書面回答。

5. 加州 CALIFORNIA

網址： http://www.courtinfo.ca.gov/selfhelp/

smallclaims/
小額法庭名稱：SMALL CLAIMS DIVISION (MUNICIPAL
OR SUPERIOR COURT)

最高上額：$5,000美元，並且原告在一年內沒有提出訴訟金額
　　　　超過$2,500美元的小額訴訟超過兩次。對於擔保公司
　　　　和承包商的訴訟限定最高金額爲$4,000美元。
訴訟地方：被告居住縣、簽約違約或疏忽行爲發生縣、合夥公
　　　　司生意所在縣。
傳票送達方式：由警察或與此案無關的成年人送遞傳票，或者
　　　　法庭書記官以掛號信寄送傳票。
能否轉移法庭：如果被告反訴金額超過$5,000美金，在小額法
　　　　庭同意下可以轉庭到普通民事法庭。
能否由律師代表：只有在律師本人做爲原告或被告情況下，只
　　　　允許律師出庭處理自己本人的案件。
上訴程序：只有敗訴的被告有權上訴；若被告對原告提出反
　　　　訴，原告在反告敗訴後也有權上訴。必須在收到裁決
　　　　30天內提出上訴。上訴案件在高等法院重新審理。
是否受理驅逐房客事務：不受理。
陪審團審判：不受理。
時效性限制：書面合約4年；口頭合約2年；人體傷害2年；財
　　　　物損壞3年。
法院裁決的執行期限：本州裁決10年；在本州登記的外州裁決
　　　　10年。

注意事項：

一、在沒有反訴敗訴情況下，原告不可對小額法庭的
裁決提出上訴。

二、追債公司代理不允許在小額法庭訴訟。

三、允許公平裁決。

四、縣政府免費提供小額訴訟顧問服務。

6. 科羅拉多州 COLORADO

網址： http://www.courts.state.co.us/chs/court/forms/
smallclaims/smallclaims.html

http://www.ago.state.co.us/consprot/smclaim.htm

小額法庭名稱：COUNTY COURT (SMALL CLAIMS
DIVISION)

最高上額：$5,000美元。

訴訟地方：被告的居住地、工作地，或生意交易所在地、辦公
室地所在地，若為學生，則其高等教育機構所在縣。

傳票送達方式：由警察或與此案無關的成年人遞送傳票，或者
以掛號信寄送傳票。

能否轉移法庭：如果被告反訴金額超過$5,000美金，即可以轉
庭。

能否由律師代表：在下述幾種情況下是允許的：律師代表自己，或律師本人爲公司全職雇員、生意合夥人、政府官員、協會成員。如果一方是上述情況下的律師，則另一方也可以由律師代表。

上訴程序：原被告雙方在收到裁決15天內均可提出。在地方法庭受理，但上訴理由是所依據的法律條款有誤或法官解釋法律不當，不能以事實不符爲上訴理由。雙方可以在開庭前或開庭時，達成不再上訴的協議。

是否受理驅逐房客事務：不受理。

陪審團審判：不受理。

時效性限制：書面合約6年；口頭合約6年；人體傷害2年；財物損壞2年。

法院裁決的執行期限：本州裁決20年；在本州登記的外州裁決6年。

注意事項：

一、追債公司代理不允許在小額法庭訴訟。

二、在小額法庭同一原告提出訴訟，不得超過每月兩次，每年不得超過18次。

7. 康乃狄克州 CONNECTICUT

網址： http://www.jud.state.ct.us/faq/smallclaims.html
小額法庭名稱： SMALL CLAIMS (SUPERIOR COURT)

最高上額： $3,500美元。

訴訟地方： 被告居住或生意所在地、違約或疏忽行為發生所在地。

傳票送達方式： 由警察或與本案無關的成年人送遞傳票，或者以掛號信或普通平信郵遞傳票。

能否轉移法庭： 如果被告反訴金額超過$3,500美元，則可以轉庭至普通高等法院審理。

能否由律師代表： 允許。 合夥公司必須由律師代表。

上訴程序： 不受理。

是否審理驅逐房客事務： 不受理。

時效性限制： 書面合約6年；口頭合約3年；人體傷害2年；財物損壞2年。

法院裁決的執行期限： 本州裁決20年；在本州登記的外州裁決20年；

8. 德拉瓦州 DELAWARE

網址： http://courts.state.de.us/dectsys.htm
小額法庭名稱：JUSTICE OF THE PEACE (NO SMALL CLAIMS SYSTEM)

最高上額：$15,000美元。

訴訟地方：本州內。

傳票送達方式：由警察遞送傳票，或者以掛號信寄送傳票。

能否轉移法庭：不能。

能否由律師代表：可以由律師代表。

上訴程序：原告及被告雙方在15天內均可提出。在高等法庭重新審理。

是否審理驅逐房客事務：受理。

陪審團審判：一般情況下不受理。

時效性限制：書面合約3年；口頭合約3年；人體傷害2年；財物損壞2年。

法院裁決的執行期限：本州裁決10年；在本州登記的外州裁決10年。

注意事項：

一、被告必須在收到傳票15天內作出書面答覆，否則法庭將會作出缺席裁決。

二、不論何種原因造成的拖欠理賠，可以追加利息，

追加利息後總金額可以超過$15,000美元。

三、反訴：即使被告反訴金額超過$15,000美元，原告仍可在小額法庭審理訴訟。(不能轉移到其他法庭)。如果被告反訴勝案，有兩種可能：一是法庭記錄審理結果，被告再向高級法院訴訟；二是被告接受$15,000美元為判決，放棄賠償金中超過$15,000美元以上部分金額。

9. 哥倫比亞特區 DISTRICT OF COLUMBIA

網址： http://www.dcbar.org/dcsc/smclaimconcil.html

小額法庭名稱： SUPERIOR COURT (SMALL CLAIMS AND CONCILIATION BRANCH)

最高上額： $5,000美元。

訴訟地方： 哥倫比亞特區只有一個法院。

傳票送達方式： 警察，法院認可的成年人，或者是以有簽收回執的掛號信方式郵寄傳票。

能否轉移法庭： 以下幾種情況可以轉庭到普通高等法院：

　　一、如果高等法官要求；

　　二、如果被告反訴牽涉到不動產(土地或房屋)；

　　三、原告和被告雙方任一方要求陪審團審理。

能否由律師代表：可以由律師代表。合夥公司必須由律師出面
代理。

上訴程序：原告及被告雙方在3天內均可向上訴法庭提出。

是否審理驅逐房客事務：不受理。

陪審團審判：原告及被告雙方均可要求，受理後案子將轉移到
高等法院。

時效性限制：書面合約3年；口頭合約3年；人體傷害3年；財
物損壞3年。

法院裁決的執行期限：本州裁決3年；

注意事項：對於有爭議的案子可以實行強制性的調解。

10. 佛羅里達州 FLORIDA

小額法庭名稱：SMALL CLAIMS PROCEDURE (COUNTY
COURT)
SUMMARY PROCEDURE (COUNTY COURT)

最高上額：$5,000美元 (小額法庭)。

訴訟地方：被告居住地、疏忽或違約行為發生地、合夥公司生
意所在地。

傳票送達方式：由警察或被法院認可的成年人送遞傳票，對於

佛羅里達本州居民可以使用有簽收回執的掛號信寄送傳票。

能否轉案：如果被告反訴金額超過$2,500美金，可以轉案到普通地方法院審理。

能否由律師代表：可以。如果律師參與此案，雙方律師均可使用法庭採證手段，法庭可以要求追債公司代理需由律師代表。

上訴程序：在法官作出裁決後，原告和被告雙方均可在30天內提出上訴。在巡迴法庭審理，但上訴理由是所依據的法律條款有誤或法官解釋法律不當，不能以事實不符為上訴理由。

是否受理驅逐房客事務：受理。

陪審團審判：原告和被告雙方都可要求陪審團審判，原告必須在訴訟時提出此要求，被告必須在收到傳票或通知後5天之內提出此要求，或在審前會議上提出。

時效性限制：書面合約5年；口頭合約4年；人體傷害4年；財物損壞4年。

法院裁決的執行期限：本州裁決20年；在本州登記的外州裁決7年。

注意事項：被告必須至少在出庭日期5天前作出書面答覆，以避免法庭缺席裁決。

11. 喬治亞州 GEORGIA

網址： http://www2.state.ga.us/GaOCA/magistra1.htm
小額法庭名稱：(MAGISTRATE COURT)

最高上額：$15,000美元。

訴訟地方：被告居住縣。

傳票送達方式：由警察、被法官認可的個人或官方書記官送遞。

能否轉案：如果被告反訴金額超過$15,000美金，可以轉案至適當法院。

能否由律師代表：可以由律師代表。

上訴程序：在縣高等法院受理。

是否受理驅逐房客事務：受理。

陪審團審判：不受理。

時效性限制：書面合約6年；口頭合約4年；人體傷害2年；財物損壞4年。

法院裁決的執行期限：本州裁決7年；在本州登記的外州裁決5年。

注意事項：

一、法庭有可能選用當地具體法規。

二、被告必須在收到傳票30天內作出書面答覆，否則法庭將會作出缺席裁決。

12. 夏威夷州 HAWAII

網址： http://www.courts.state.hi.us/page_server/SelfHelp/
SmallClaims/695F88B9A961B33EAB295F3B7.html
http://www.state.hi.us/dcca/ocp/smallclaim.html

小額法庭名稱：SMALL CLAIMS DIVISION (DISTRICT COURT)

最高上額：$3,500美元；在房東與房客糾紛案中，沒有限定最高金額。在退還租用私人財產案件中，此財產價值必須低於$3,500美元。反訴金額上限為$20,000美元。

訴訟地方：被告所在司法行政區，或疏忽行為發生地，或者是租約簽訂地。

傳票送達方式：由警察送遞傳票，或者是以有簽收回執的掛號信寄送傳票，或原被告雙方個人親自遞送傳票。

能否轉移法庭：如原告和被告雙方任一方要求陪審團審理，或反訴金額超過$5,000美元，則案件將轉庭。除此之外，只有在原告同意情況下可以轉庭。

能否由律師代表：可以 (在房東與房客糾紛案件中不可以)。並且如法庭許可，律師在不收費的情況下代表他人。

上訴程序：不受理。

是否審理驅逐房客事務：不受理。

陪審團審判：受理後案子將轉移到巡迴法院。

時效性限制：書面合約6年；口頭合約6年；人體傷害2年；財

物損壞2年。

法院裁決的執行期限：本州裁決10年；在本州登記的外州裁決
6年。

注意事項：

一、案件只限於償還金錢或租借的財物，或者是房東
與房客間的有爭議的保證金。

二、無懲罰性賠償。

三、房東與房客糾紛案件中可申請公平裁決。

13. 愛達荷州 IDAHO

網址： http://www2.state.id.us/judicial/
http://www2.state.id.us/cao/scpltf.doc

小額法庭名稱：SMALL CLAIMS DEPARTMENT OF
MAGISTRATE' S DIVISION (DISTRICT COURT)

最高上額：$4,000美元。

訴訟地方：被告居住縣、訴訟事由發生地、公司企業生意所在
縣。

傳票送達方式：由警察或與此案無關的成年人遞送傳票，或者
是以有簽收回執的掛號信寄送傳票。

能否轉移法庭：不能。

能否由律師代表：不能。

上訴程序：原告和被告都有權在30天內提出上訴。由地方檢察
官重新審理。

是否受理驅逐房客事務：不受理。

陪審團審判：不受理。

時效性限制：書面合約5年；口頭合約4年；人體傷害2年；財
物損壞3年。

法院裁決的執行期限：本州裁決6年；在本州登記的外州裁決
6年。

注意事項：沒有懲罰性賠償；沒有精神損失賠償。

14. 伊利諾州 ILLINOIS

網址： http://ag.state.il.us/consumer/smlclaims.htm

小額法庭名稱：SMALL CLAIMS (CIRCUIT COURT)

最高上額：$5,000美元。

訴訟地方：被告居住地或工作所在地、過失行爲發生地、合夥
公司生意所在地。

傳票送達方式：由警察或法院認可的成年人遞送傳票，或者是

以有簽收回執的掛號信寄送傳票。

能否轉移法庭：如果原告訴訟金額或被告反訴金額超過$5,000美元，可以轉庭。

能否由律師代表：可以由律師代表。在庫克縣某些地方不可以由律師代表。

上訴程序：原告與被告雙方在裁決30天之內均可提出上訴。在上訴法庭重新審理。但上訴理由是所依據的法律有誤或法官解釋法律不當，不能以事實不符為上訴理由。

是否受理驅逐房客事務：不受理。

陪審團審判：原告和被告雙方均可要求陪審團審理此案。

時效性限制：書面合約10年；口頭合約5年；人體傷害2年；財物損壞5年。

法院裁決的執行期限：本州裁決20年；在本州登記的外州裁決5年。

注意事項：合夥公司不可以以代理人身份出庭。

15. 印第安那州 INDIANA

網址：http://www.county.tippecanoe.in.us/departments/cc1/Contents.htm

小額法庭名稱：SMALL CLAIMS COURT; SMALL

CLAIMS DOCKET (CIRCUIT COURT, SUPE-RIOR COURT AND COUNTY COURT)

最高上額：$3,000美元 (馬睿安縣和愛倫縣小額法庭最高上額爲$6,000美元)。

訴訟地方：被告居住或工作所在縣、簽約，違約或疏忽行爲發生縣。

傳票送達方式：個人親自遞送傳票；如果送不到，採取掛號信通知方式。

能否由律師代表：可以由律師代表。

上訴程序：原告和被告有權在60天內提出上訴。

是否受理驅逐房客事務：如果拖欠租金總額少於$3,000美元則可受理。(在馬睿安縣和愛倫縣最高拖欠金額爲$6,000美元)。

陪審團審判：被告收到傳票10天內，如果可以提出充分的事實依據，說明需要陪審團作出裁決，有權要求陪審團審理。馬睿安縣和愛倫縣小額法庭陪審團審理不予受理。如果被告在開庭至少3天前提出要求陪審團審理，案件將會轉案到高等法院。

時效性限制：書面合約10年；口頭合約6年；人體傷害2年；財物損壞2年。

法院裁決的執行期限：本州裁決20年；在本州登記的外州裁決20年。

16. 愛阿華州 IOWA

網址： http://www.judicial.state.ia.us/faq/smallclaims.asp
http://www.judicial.state.ia.us/about/descript/district.
asp

小額法庭名稱： SMALL CLAIMS DOCKET (DISTRICT COURT)

最高上額： $4,000美元。

訴訟地方： 被告居住地、違約疏忽行為發生地。

傳票送達方式： 由警察或與此案無關的成年人 (在驅逐房客案件中不適用) 遞送傳票，或以掛號信寄送傳票。

能否轉移法庭： 依照法官判斷，若被告反訴金額超過小額法庭最高上額，可以轉移案件。

能否由律師代表： 可以由律師代表。

上訴程序： 原告和被告雙方均可以在聽證會結束時口頭提出上訴，也可以在判決後20天內以書面形式提出上訴。

是否受理驅逐房客事務： 受理。

時效性限制： 書面合約10年；口頭合約5年；人體傷害2年；財物損壞5年。

法院裁決的執行期限： 本州裁決20年；在本州登記的外州裁決20年。

注意事項：

一、被告必須在收到傳票20天內作出書面答覆，否則
將被缺席裁決。

二、對於價值等與或低於$4,000美元的特殊財物，法
庭有權裁決歸還原物。

17. 堪薩斯州 KANSAS

網址： http://www.kscourts.org/dstcts/4claims.htm

小額法庭名稱：SMALL CLAIMS （DISTRICT COURT）

最高上額：$1,800美元。

訴訟地方：被告居住地或工作所在地、被告生意所在地，或原
告居住地並在此地被告可被送達傳票。

傳票送達方式：由警察或法院認可的成年人遞送傳票，或者以
掛號信寄送傳票。

能否轉移法庭：如果被告反訴金額高於小額法庭的最高上額$1,
800美元，但低於普通法庭的訴訟上額，法官可以選
擇在小額法庭審理此訴訟，或轉案到普通法庭。

能否由律師代表：一般情況下不允許，但如果其中一方有律師
代表，或其中一方本人為律師，則另一方也可由律師
代表。

上訴程序：原告與被告雙方在裁決10天之內均可提出上訴。在
　　　　地方法庭重新審理。

是否受理驅逐房客事務：不受理。

時效性限制：書面合約5年；口頭合約3年；人體傷害2年；財
　　　　物損壞2年。

法院裁決的執行期限：本州裁決5年；在本州登記的外州裁決5
　　　　年。

注意事項：

　　一、對於價值等於或少於$1,800美元的特殊財物，法
　　　　庭有權裁決歸還原物。

　　二、任何人不得在一年之內在同一小額法庭提出10次
　　　　以上訴訟。

18. 肯塔基州 KENTUCKY

網址：　http://www.aoc.state.ky.us/introjava.htm
　　　　http://www.kycourts.net/Resources/Small_Claims2.pdf

小額法庭名稱：SMALL CLAIMS DIVISION (DISTRICT
　　　　COURT)

最高上額：$1,500美元。

訴訟地方：被告居住地或生意所在地、如果是合夥公司，則合
夥公司總公司所在地。

傳票送達方式：首先使用掛號信送遞傳票，如果送不到，由警
察送遞傳票。

能否轉移法庭：如果被告反訴金額超過$1,500美元；或者被告
要求陪審團審理此案；或者法官認爲此案對於小額法
庭過於複雜，則案件須轉移到地方法院或巡迴法院審
理。

能否由律師代表：可以由律師代表。

上訴程序：原被告雙方在10天內均可提出。在巡迴法庭重新審
理，但上訴理由是所依據的法律有誤或法官解釋法律
不當，不能以事實不符爲上訴理由。

是否受理驅逐房客事務：受理。

陪審團審判：如果被告在聽證會前至少7天書面提出上訴，案
子則轉案到一般法院。

時效性限制：書面合約15年；口頭合約5年；人體傷害1年；財
物損壞2年。

法院裁決的執行期限：本州裁決15年；在本州登記的外州裁決
15年。

注意事項：

　一、追債公司代理和放債人不能在小額法庭訴訟。

　二、任何人不得在1年內在任何地方法院訴訟超過25
　　　次。

19. 路易西安那州 LOUISIANA

網址： http://www.ci.baton-rouge.la.us/dept/citycourt/
smclaims.htm [Baton Rouge]

小額法庭名稱： 城市 (JUSTICE OF THE PEACE)
鄉鎮：(CITY COURT: SMALL CLAIMS DIVISION)

最高上額： $3,000美元。

訴訟地方： 被告居住地、合夥公司或生意合作人辦公室所在
地。

傳票送達方式： 使用掛號信郵寄傳票，如果掛號信查無此人或
被拒收，則由警察遞送傳票。

能否轉案： 如果被告在有效時間內提出書面要求，或反訴金額
超過訴訟最高上額，小額訴訟可以被轉案到市法院。

能否由律師代表： 可以由律師代表。

上訴程序： 原告和被告雙方均可在15天內提出上訴。在區法庭
重新審理。在市小額法庭受理的案子不得上訴。

是否受理驅逐房客事務： 受理。沒有訴訟金額限制。

陪審團審判： 不受理。

時效性限制： 書面合約10年；口頭合約10年；人體傷害1年；
財物損壞1年。

法院裁決的執行期限： 本州裁決10年；在本州登記的外州裁決
10年。

注意事項：被告必須在收到傳票10天之內作出書面答覆，以避
　　　　　免法庭缺席裁決。

20. 緬因州 MAINE

網址：http://www.courts.state.me.us/mainecourts/
　　　smallclaims/index.html
小額法庭名稱：SMALL CLAIMS DOCKET (DISTRICT
　　　　　　　COURT)

最高上額：$4,500美元。
訴訟地方：被告居住或工作的司法轄區、糾紛交易發生地、合
　　　　　夥公司總公司所在地。
傳票送達方式：以掛號信方式寄送傳票，或私人遞送傳票。
能否轉移法庭：可以。
能否由律師代表：可以由律師代表。
上訴程序：原告及被告雙方在30天內均可提出。在高等法庭重
　　　　　新審理。
是否審理驅逐房客事務：受理。
陪審團審判：不受理。
時效性限制：書面合約6年；口頭合約6年；人體傷害6年；財
　　　　　物損壞6年。

法院裁決的執行期限：本州裁決20年；在本州登記的外州裁決20年。

21. 馬里蘭州 MARYLAND

網址： http://www.courts.state.md.us/faq.html# Small%20Claims%20Court

小額法庭名稱：SMALL CLAIMS ACTION (DISTRICT COURT)

最高上額：$2,500美元。

訴訟地方：被告居住地、工作所在地、傷害或財產損失發生地、被告生意所在地、涉及糾紛的合夥公司總公司所在地。

傳票送達方式：由警察或與此案無關的成年人遞送傳票，或者使用掛號信寄送傳票。掛號信拒絕簽收後，書記官再次將傳票寄出，即認定傳票已送到。

能否轉移法庭：如果反訴金額超過$2,500美元；或者被告要求陪審團審判，可以轉移案件到普通民事法庭。

能否由律師代表：可以由律師代表。

上訴程序：原告、被告雙方均可在30天內提出上訴。在巡迴法庭重新審理。

是否受理驅逐房客事務：在拖欠租金的總額沒有超出$2,500美元時受理 (不包括利息和費用)。

陪審團審判：不受理。

時效性限制：書面合約3年；口頭合約3年；人體傷害3年；財物損壞3年。

法院裁決的執行期限：本州裁決12年；在本州登記的外州裁決12年。

注意事項：訴訟只限財物糾紛。

22. 麻薩諸賽州 MASSACHUSETTS

網址： http://www.state.ma.us/legis/laws/mgl/gl-218-toc.htm

小額法庭名稱： SMALL CLAIMS DIVISION
(波士頓市，MUNICIPAL COURT; 其他城市，DISTRICT COURT)

最高上額：$2,000美元。對於車禍造成的財產損失案件沒有金額限制。

訴訟地方：原告及被告居住、工作，或生意所在司法轄區。被告房東房產所在司法轄區。

傳票送達方式：由警察遞送傳票，或者是以掛號信寄送傳票。

能否轉案：在法庭允許下可以轉案到普通民事法院。

能否由律師代表：可以由律師代表。

上訴程序：被告有權在10天內提出上訴。在高等法院重新審
理；上訴時陪審團可以審理此案。

是否受理驅逐房客事務：不受理。

時效性限制：書面合約6年；口頭合約6年；人體傷害3年；財
物損壞3年。

法院裁決的執行期限：本州裁決20年；在本州登記的外州裁決
20年。

23. 密西根州 MICHIGAN

網址：http://courts.michigan.gov/scao/courtforms/
smallclaims/scindex.htm

小額法庭名稱：SMALL CLAIMS DIVISION (DISTRICT
COURT)

最高上額：$3,000美元。

訴訟地方：被告居住的縣、疏忽行爲發生縣。

傳票送達方式：由私人送遞傳票，或者法庭書記官使用有簽收
回執的掛號信寄送傳票。

能否轉移法庭：原告和被告都可以要求轉庭到普通區法院。如果被告反訴金額超過$1,750美元，則會轉庭。

能否由律師代表：不能。

上訴程序：不受理。例外情況：如果訴訟是在地方法院審理的案件，原告和被告雙方7天內均可提出上訴，轉庭在小額法庭重新審理此案。

是否審理驅逐房客事務：不受理。

時效性限制：書面合約6年；口頭合約6年；人體傷害3年；財物損壞3年。

法院裁決的執行期限：本州裁決10年；在本州登記的外州裁決10年。

注意事項：

一、追債公司代理不可以在小額法庭訴訟。

二、不得在一個星期內提出5次以上訴訟。

24. 明尼蘇達州 MINNESOTA

網址：http://www.co.stearns.mn.us/departments/other/court/conccourt.htm

小額法庭名稱：CONCILIATION COURT (COUNTY COURT)

最高上額：$7,500美元。

訴訟地方：被告所在的縣、車禍發生或財產受損所在地、發生糾紛的合夥公司生意所在地、辦公室所在地、公司代理所在地。

傳票送達方式：由法庭書記官親自送遞或以普通信件郵遞（如果訴訟金額超過$2,500美元則採用掛號信方式)。

能否轉移法庭：如果原告或被告要求陪審團審理，或被告的反訴金額超過最高上額$7,500美元，則可以轉庭到縣法院。

能否由律師代表：不允許；除非在法庭的特別許可下。

上訴程序：原告及被告雙方在20天內均可提出。在區法庭重新審理，可由陪審團審理。

是否審理驅逐房客事務：不受理。

陪審團審判：不受理。如果要求，則轉案至其他法庭。

時效性限制：書面合約6年；口頭合約6年；人體傷害6年；財物損壞2年。

法院裁決的執行期限：本州裁決10年；在本州登記的外州裁決10年。

注意事項：

一、被告必須在開庭前5天之內提出反訴。

二、教育機構可以提出訴訟追回學生貸款，即使被告不是本縣居民，但最初此貸款是在本縣的辦公地點貸出，則可以在本縣提出訴訟。

25. 密西西比州 MISSISSIPPI

小額法庭名稱：JUSTICE COURT

最高上額：$2,500美元.

訴訟地方：被告所居住的縣、被告不是本縣居民，但被告疏忽行爲發生縣。對於合夥公司的訴訟，起訴地爲公司成立登記所在縣。

傳票送達方式：由警察或與本案無關的成年人 (必須在緊急情況下並有法院許可) 遞送傳票。

能否轉移法庭：不能。

能否由律師代表：可以由律師代表。

上訴程序：原告和被告雙方10天內均可提出上訴。在巡迴法庭重新審理。

是否審理驅逐房客事務：不受理。

時效性限制：書面合約3年；口頭合約3年；人體傷害3年；財物損壞3年。

法院裁決的執行期限：本州裁決7年；在本州登記的外州裁決7年。

26. 米蘇里州 MISSOURI

網址： http://www.mobar.org/pamphlet/smllclam.htm
小額法庭名稱： SMALL CLAIMS COURT (CIRCUIT COURT)

最高上額： $3,000美元。.
訴訟地方： 被告所在的縣、合夥公司辦公室或公司代理所在縣、疏忽行為發生縣；原告居住縣，並且至少有一個被告在此地被找到。
傳票送達方式： 使用有簽收回執的掛號信寄送傳票。如果不行，由警察送遞傳票。
能否轉移法庭： 如果被告反訴金額超過$3,000美元，則會轉庭至普通巡迴法庭。在此情況下，原被告雙方也可以達成協議不轉庭。
能否由律師代表： 可以由律師代表。
上訴程序： 原告和被告雙方10天內均可提出上訴，在巡迴法庭重新審理。
是否審理驅逐房客事務： 不受理。
時效性限制： 書面合約10年；口頭合約10年；人體傷害5年；財物損壞5年。
法院裁決的執行期限： 本州裁決10年；在本州登記的外州裁決10年。

注意事項：

一、追債公司代理不可以在小額法庭訴訟。

二、不得在12個月內提出6次以上訴訟。

三、被告在收到傳票10天之內，在聽證會開庭前，可
　　提出反訴。

27. 蒙坦拿州 MONTANA

網址： http://www.lawlibrary.state.mt.us/dscgi/ds.py/
Get/File-7927/Small_Claims_Court_Guide.pdf

小額法庭名稱： SMALL CLAIMS COURT (JUSTICE
COURT AND DISTRICT COURT)

最高上額： $3,000美元。

訴訟地方： 被告可收到傳票的縣或法院轄區。

傳票送達方式： 由警察遞送傳票。(地方法院可以使用與本案無
　　關的成年人送遞傳票)。

能否轉移法庭： 被告在收到傳票後10天之內可以要求轉庭至地
　　方法院。

能否由律師代表： 不能。除非原告和被告雙方都有律師代表。

上訴程序： 原告和被告雙方30天內均可提出上訴，從地方法院
　　或市法院轉案到縣法庭重新審理；原告和被告雙方10

天內均可提出上訴，從小額法庭轉案到地方法院或市
法院重新審理。

是否審理驅逐房客事務：不受理。

陪審團審判：若被告反訴則可以要求陪審團審理。

時效性限制：書面合約8年；口頭合約5年；人體傷害3年；財
物損壞2年。

法院裁決的執行期限：本州裁決10年；在本州登記的外州裁決
10年。

注意事項：

一、追債公司代理不可以在小額法庭訴訟。

二、不得在一年內提出10次以上訴訟。

三、如果被告的反訴基於同一案由，則必須在聽證會
前至少72小時前通知原告。

28. 內布拉斯加州 NEBRASKA

網址： http://court.nol.org/publications/smallclaims.htm

小額法庭名稱：SMALL CLAIMS （JUSTICE COURT)

最高上額：$2,400美元。每5年根據消費者物價指數調整一
次。

訴訟地方：被告居住或生意所在地、傷害或財物損失發生地、合夥公司生意所在地。

傳票送達方式：根據法庭指示由警察或掛號信送遞傳票。

能否轉移法庭：根據被告要求，或反訴金額超過$2,100美元，可以轉庭至普通民事法院。

能否由律師代表：不能。

上訴程序：原告及被告雙方在30天內均可提出。在區法庭重新審理。上訴時可以由律師代表。陪審團審判不受理。

是否審理驅逐房客事務：不受理。

陪審團審判：不受理。但被告在聽證會前至少兩天，可以通知法庭要求轉庭到普通法庭，以便要求陪審團受理此案。

時效性限制：書面合約5年；口頭合約4年；人體傷害4年；財物損壞4年。

法院裁決的執行期限：本州裁決5年；在本州登記的外州裁決5年。

注意事項：

一、追債公司代理不可以在小額法庭訴訟。

二、不得在一星期內提出2次以上訴訟，或在一年內提出10次以上上訴。

29. 內華達州 NEVADA

網址： http://www.co.clark.nv.us/justicecourt_lv/
smallclaim.htm

小額法庭名稱： SMALL CLAIMS （JUSTICE COURT）

最高上額： $5,000美元。

訴訟地方： 被告居住、工作或生意所在市鎮。

傳票送達方式： 由警察或法庭許可的成年人遞送傳票，或法庭
書記官以有簽收回執的掛號信寄送傳票。

能否轉移法庭： 不能。

能否由律師代表： 可以由律師代表。

上訴程序： 原告及被告雙方在5天內均可提出。在區法庭重新
審理，但上訴理由是所依據的法律有誤或法官解釋法
律不當，不能以事實不符為上訴理由。法庭裁決是否
重新審理。

是否審理驅逐房客事務： 不受理。

時效性限制： 書面合約6年；口頭合約4年；人體傷害2年；財
物損壞3年。

法院裁決的執行期限： 本州裁決6年；在本州登記的外州裁決6
年。

注意事項： 小額法庭只受理金錢糾紛。

30. 新漢普夏州 NEW HAMPSHIRE

網址： http://www.state.nh.us/nhdoj/Consumer/scc.html

小額法庭名稱： SMALL CLAIMS ACTIONS (DISTRICT OR MUNICIPAL COURT)

最高上額： $5,000美元。

訴訟地方： 原告或被告居住所在市鎮，或過失行為發生市鎮。

傳票送達方式： 由法庭寄出有簽收回執的掛號信送遞傳票，或以其他法庭許可的方式送遞傳票。

能否轉移法庭： 反訴金額超過$2,500美元；原告或被告任一方要求陪審團審理此案 (訴訟金額必須超過$1,500美元)，上述兩種情況下，可以轉庭至高等法院。

能否由律師代表： 不能。

上訴程序： 原告及被告雙方在30天內均可提出。在高等法庭審理。但上訴理由是所依據的法律有誤或法官解釋法律不當，不能以事實不符為上訴理由。

是否審理驅逐房客事務： 不受理。

時效性限制： 書面合約3年；口頭合約3年；人體傷害3年；財物損壞3年。

法院裁決的執行期限： 本州裁決20年；在本州登記的外州裁決20年。

注意事項：小額法庭不審理房產權案件。

31. 新澤西州 NEW JERSEY

網址： http://www.judiciary.state.nj.us/civil/civ-02.htm

小額法庭名稱：SMALL CLAIMS SECTIONS (SPECIAL CIVIL PART OF LAW DIVISION OF SUPERIOR COURT)

最高上額：$2,000美元（小額法庭）；$10,000美元 (高等法院特殊民事部門)

訴訟地方：被告居住所在縣、合夥公司生意所在地，如果被告不是本州居民，則過失行為發生地。

傳票送達方式：由高等法院特殊民事部門書記官或法庭許可的成年人遞送傳票，或以掛號信寄送傳票。

能否轉移法庭：被告反訴金額超過$5,000美元，或原告要求陪審團審理此案，則可轉案至高等法院特殊民事部門。

能否由律師代表：可以由律師代表。

上訴程序：原告及被告雙方在45天內均可提出。在高等法庭上訴部門審理。但上訴理由是所依據的法律有誤或法官解釋法律不當，不能以事實不符為上訴理由。

是否審理驅逐房客事務：只在特殊民事部門受理。

陪審團審判：可以書面要求或由法庭裁決是否由陪審團審理。

時效性限制：書面合約6年；口頭合約6年；人體傷害6年；財物損壞2年。

法院裁決的執行期限：本州裁決20年；在本州登記的外州裁決

20年。

注意事項：
一、小額法庭不受理車禍以外的人體傷害或財產損失
案件。
二、追債公司代理不得在小額法庭訴訟。

32. 新墨西哥州 NEW MEXICO

網址：http://www.metrocourt.state.nm.us/
小額法庭名稱：METROPOLITAN COURT (URBAN)；
MAGISTRATE' S COURT (RURAL)

最高上額：$7,500美元。
訴訟地方：被告居住地或在此地可以找到被告，或過失行為發
生地。
傳票送達方式：以信件形式寄出，如果沒有答覆，則有警察或
法庭許可的成年人送遞傳票。
能否轉移法庭：不能。
能否由律師代表：可以由律師代表。
上訴程序：原告及被告雙方在15天內均可提出。在區法庭上訴
部門審理。

是否審理驅逐房客事務：受理。

陪審團審判：原告和被告雙方都可以要求。原告必須在提出訴訟時要求，被告必須在回復訴訟時提出要求。

時效性限制：書面合約6年；口頭合約4年；人體傷害3年；財物損壞4年。

法院裁決的執行期限：本州裁決14年；在本州登記的外州裁決14年。

33. 紐約州 NEW YORK

網址： http://www.consumer.state.ny.us/clahm/Clahm-Small_Claims_Court.htm

小額法庭名稱：SMALL CLAIMS (NEW YORK CIVIL COURT); CIVIL COURTS (OTHER CITIES); DISTRICT COURTS (NASSAU AND SUFFOLK COUNTIES— EXCEPT 1ST DISTRICT); JUSTICE COURTS (RURAL AREAS); COMMERCIAL SMALL CLAIMS (CITY AND DISTRICT COURTS)

最高上額：$3,000美元 。

訴訟地方：被告居住、工作或生意所在地。

傳票送達方式：以掛號信 (對於拒收信件的被告) 或者是普通信

件寄送傳票。如果21天後信件沒有退回,則法庭認為傳票已送到。

能否轉移法庭:法庭裁決能否轉庭。

能否由律師代表:可以由律師代表。

上訴程序:原告及被告雙方在30天內均可提出。在縣法庭或高等法庭上訴部門審理(紐約市)。但上訴理由是所依據的法律有誤或法官解釋法律不當,不能以事實不符為上訴理由。對仲裁結果不可上訴。

是否審理驅逐房客事務:不受理。

陪審團審判:被告可以在聽證會前至少1天前提出要求,必須做出公證聲明要求陪審團審理此案。

時效性限制:書面合約6年;口頭合約6年;人體傷害3年;財物損壞3年。

法院裁決的執行期限:本州裁決20年;在本州登記的外州裁決20年。

注意事項:

一、可以仲裁;對於仲裁結果不能上訴。

二、追債公司代理、合夥人、合夥公司不得在小額法庭訴訟(例外:市政府,公共福利機構,學區)。

三、反訴金額不能超過$3,000美元。

消費者投訴:

- 與小額法庭一樣最高上額$3,000美元。
- 只有合夥公司,合夥人和協會的總辦公室在紐約

州時可以訴訟。只解決金錢糾紛。

- 必須在被告居住、工作、生意所在，或者辦公室所在的縣訴訟。
- 被告1個月最多只能訴訟5次。

34. 北卡羅萊納州 NORTH CAROLINA

網址： http://www.nccourts.org/

小額法庭名稱：SMALL CLAIMS ACTIONS (DISTRICT COURT)

最高上額：$4,000美元。

訴訟地方：被告居住所在縣、合夥公司生意所在地。

傳票送達方式：由警察或法庭許可的成年人遞送傳票，或以掛號信寄送傳票。對於驅逐房客案件，警察首先以普通平信方式通知，然後打電話或登門造訪送遞傳票。

能否轉移法庭：除房產權以外案件不能轉庭。

能否由律師代表：可以由律師代表。

上訴程序：原告及被告雙方在10天內均可提出。在區法庭重新審理。如果在上訴通知10天內要求，可以由陪審團審理。

是否審理驅逐房客事務：受理。

陪審團審判：不受理。

時效性限制：書面合約3年；口頭合約3年；人體傷害3年；財物損壞3年。

法院裁決的執行期限：本州裁決10年；在本州登記的外州裁決10年。

注意事項：被告反訴金額不能超過$4,000美元。

35. 北達科塔州 NORTH DAKOTA

網址： http://www.ag.state.nd.us/brochure/SmallClaim. PDF

小額法庭名稱：SMALL CLAIMS (COUNTY COURT)

最高上額：$5,000美元。

訴訟地方：被告居住所在縣。如果被告爲合夥公司，則公司生意所在地，或過失行爲發生地。

傳票送達方式：由與本案無關的的成年人送遞傳票，或以掛號信寄送傳票。

能否轉移法庭：被告可以要求可轉案至普通民事法庭。

能否由律師代表：可以由律師代表。

上訴程序：不受理。

是否受理驅逐房客事務：不受理。

時效性限制：書面合約6年；口頭合約6年；人體傷害6年；財
物損壞6年。

法院裁決的執行期限：本州裁決10年；在本州登記的外州裁決
10年。

注意事項：

　　一、陪審團不受理此類案件。

　　二、原告可以要求撤案；如果原告要求撤案，不得對
　　　　此案提出上訴。

36. 俄亥俄州 OHIO

小額法庭名稱：SMALL CLAIMS DIVISION (COUNTY
COURT)

最高上額：$3,000美元。

訴訟地方：被告居住所在縣、生意所在地，或過失行為發生
地。

傳票送達方式：由警察遞送傳票，或法庭書記官寄出的有簽收
回執的掛號信。

能否轉移法庭：被告反訴金額超過$3,000美元，並向法庭提出

要求轉案動議，則此案由小額法庭轉案至普通民事法庭。

能否由律師代表：可以由律師代表。

上訴程序：原告及被告雙方在30天內均可提出。在上訴法庭審理。

是否審理驅逐房客事務：不受理。

陪審團審判：除縣法院外不予受理。

時效性限制：書面合約15年；口頭合約6年；人體傷害2年；財物損壞2年。

法院裁決的執行期限：本州裁決21年；在本州登記的外州裁決15年。

注意事項：

一、市法庭僅受理私人財物、稅金、金錢損失事務。

二、債務代理(除補償稅金案件外)不得在小額法庭訴訟。

37. 奧克拉荷馬州 OKLAHOMA

網址： http://www.oscn.net

小額法庭名稱：SMALL CLAIMS （DISTRICT COURT）

最高上額：$4,500美元 。

訴訟地方：被告居住所在縣、過失行為發生所在縣。如果是車船事故，則原告和被告任何一方居住地，或事故發生地所在縣。合夥公司辦公室所在縣，或過失行為發生所在縣。

傳票送達方式：使用有簽收回執的掛號信寄送傳票。原告可以要求警察或其他與本案無關的成年人遞送傳票。

能否轉移法庭：如果被告要求，或被告反訴金額超過$4,500美元，可以轉庭至一般法庭；原告和被告也可以達成書面協議，要求此案在小額法庭繼續審理。被告必須在出庭前至少48個小時提出轉庭要求。

能否由律師代表：可以由律師代表。在不抗辯案件中，律師費不得高於裁決金額的10％。

上訴程序：原告及被告雙方在30天內均可提出。在奧克拉荷馬州高等法庭審理。但上訴理由是所依據的法律有誤或法官解釋法律不當，不能以事實不符為上訴理由。

是否審理驅逐房客事務：不受理。

陪審團審判：如果訴訟金額超過$1,500美元，原告和被告雙方均可要求陪審團審理此案。

時效性限制：書面合約5年；口頭合約3年；人體傷害3年；財物損壞2年。

法院裁決的執行期限：本州裁決5年；在本州登記的外州裁決3年。

注意事項：

　　一、可以提出訴訟追償私人財物損失。

　　二、債務代理人不得在小額法庭訴訟。

　　三、被告必須在出庭前至少72小時提出反訴。

38. 奧勒岡州 OREGON

網址： http://bluebook.state.or.us/state/judicial/
judicial38.htm

小額法庭名稱：SMALL　CLAIMS　DEPARTMENT
(CIRCUIT OR JUSTICE　COURT)

最高上額：$5,000美元 。

訴訟地方：被告居住或在此地可以被送達傳票、對於民事侵權
案件，傷害事故發生的地、在合約糾紛案件中，合約
履行地。

傳票送達方式：由警察或法庭許可的成年人遞送傳票，或以有
簽收回執的掛號信寄送傳票。

能否轉移法庭：被告反訴金額超過$5,000美元並要求轉庭則可
以轉庭到一般法院；如原告要求陪審團審理此案，則
可轉案至巡迴法院重新審理。

能否由律師代表：沒有法官的同意不能由律師代理。

上訴程序：在巡迴法庭，不允許上訴；在地方法院，被告 (或原告被反訴) 可在10天內提出上訴。在巡迴法庭上訴部門審理。

是否審理驅逐房客事務：不受理。

陪審團審判：如果訴訟金額超過$750美元，被告可以要求陪審團審理此案。若被告敗訴，原告的律師費不能超過$1,000美元。

時效性限制：書面合約6年；口頭合約6年；人體傷害2年；財物損壞6年。

法院裁決的執行期限：本州裁決10年；在本州登記的外州裁決10年。

注意事項：被告必須在收到傳票或4天之內答覆。(庭外和解，向法庭遞交書面要求聽證會，或要求陪審團審理此案)。

39. 賓夕凡尼亞州 PENNSYLVANIA

網址： http://www.courts.state.pa.us/Index/DJ/DJSearch.asp

小額法庭名稱：費城，PHILADELPHIA MUNICIPAL COURT;

其他城市，DISTRICT 或 JUSTICE COURT

最高上額：$8,000美元（地方法庭）；$10,000美元(費城地方法院)。

訴訟地方：被告可被送遞傳票地、過失行為發生地、合夥公司生意所在地，或公司總部所在地。

傳票送達方式：由警察或與本案無關的成年人送遞傳票，或以掛號信寄送傳票。

能否轉移法庭：在費城地方法院，若被告反訴金額超過$10,000美元，可要求轉案至一般法院；在其他城市地方法院不能轉庭。

能否由律師代表：可以由律師代表。在費城地方法院，若合夥公司訴訟案件訴訟金額超過$2,500美元，必須由律師代表。

上訴程序：原告及被告雙方在30天內均可提出。在一般法庭重新審理。

是否審理驅逐房客事務：受理。

陪審團審判：原告和被告雙方均可要求陪審團審理此案，案件將轉庭。

時效性限制：書面合約4年；口頭合約4年；人體傷害2年；財物損壞2年。

法院裁決的執行期限：本州裁決6年；在本州登記的外州裁決6年。

注意事項：在費城地方法院，對於原告本人的人體傷害和財產
　　　　　損失案件，如果訴訟金額超過$2,000美元，必須提出
　　　　　訴訟公證聲明文件(本人簽字公證)。

40. 羅德島州 RHODE ISLAND

小額法庭名稱：SMALL CLAIMS （DISTRICT COURT)

最高上額：$1,500美元 。

訴訟地方：原告或被告居住地、若原告爲合夥公司，在被告居
　　　　　住地提出訴訟。

傳票送達方式：首先以掛號信遞送傳票，如遞送不達，則有警
　　　　　察或法院許可的成年人遞送傳票。

能否轉移法庭：被告反訴金額超過$1,500美元，法官認爲反訴
　　　　　有充足理由，則可轉案至一般地方法院審理。

能否由律師代表：可以由律師代表。合夥公司必須由律師代
　　　　　表，除非合夥公司資金額小於100萬美元。

上訴程序：被告可提出，在高等法庭重新審理。如果原告爲消
　　　　　費者，被告爲製造商或銷售商，由於被告沒有回復傳
　　　　　票而被法庭缺席裁決，則被告無權上訴。

是否審理驅逐房客事務：不受理。

時效性限制：書面合約10年；口頭合約10年；人體傷害3年；

美國小額法庭 DIY

財物損壞10年。

法院裁決的執行期限：本州裁決20年；在本州登記的外州裁決
　　　　20年。

41. 南卡羅萊納州 SOUTH CAROLINA

網址： http://www3.charlestoncounty.org/docs/Magis
　　　　trates/summfaq.htm#MagCivil2
小額法庭名稱：MAGISTRATE' S COURT （NO SMALL
　　　　CLAIMS PROCEDURE）

最高上額：$7,500美元（小額法庭）。
訴訟地方：被告居住所在地、保險公司生意所在地。
傳票送達方式：由警察或與本案無關的成年人送遞傳票。
能否轉移法庭：向法庭書記官查詢。被告反訴金額超過$7,500
　　　　美元，則必須轉案至一般法院審理。
能否由律師代表：可以由律師代表。
上訴程序：原告及被告雙方必須在30天內提出。在地方或巡迴
　　　　法庭審理。但上訴理由是所依據的法律條款有誤或法
　　　　官解釋法律不當，不能以事實不符爲上訴理由。
是否審理驅逐房客事務：受理。
陪審團審判：受理。原告和被告雙方均可以要求陪審團審理此

案。

時效性限制：書面合約3年；口頭合約3年；人體傷害3年；財
物損壞3年。

法院裁決的執行期限：本州裁決10年；在本州登記的外州裁決
10年。

注意事項：被告必須在收到傳票20天內作出回覆。

42. 南達科塔州 SOUTH DAKOTA

網址： http://www.sdjudicial.com/
小額法庭名稱： SMALL CLAIMS PROCEDURE
(CIRCUIT OR MAGISTRATE' S COURT)

最高上額：$8,000美元 。
訴訟地方：被告居住所在縣、傷害等過失行為發生地、合夥公
司總部所在地。
傳票送達方式：首先以有簽收回執的掛號信遞送傳票，如果掛
號信查無此人或被拒絕簽收，則由警察或與本案無關
的本縣成年居民送遞。
能否轉移法庭：被告必須提供案件過於複雜的宣誓證明材料，
向法庭提出的轉庭要求，法官有權對此申請作出決

定，是否轉庭至一般民事法庭或是否由陪審團審理此
案。如果轉案至一般民事法庭後，原告和被告雙均可
提出上訴。

能否由律師代表：可以由律師代表。

上訴程序：不受理。

是否審理驅逐房客事務：不受理。

時效性限制：書面合約6年；口頭合約6年；人體傷害3年；財
物損壞6年。

法院裁決的執行期限：本州裁決20年；在本州登記的外州裁決
10年。

43. **田納西州** TENNESSEE

網址： http://www.tba.org/lawbytes/T9_1800.html

小額法庭名稱：COURT OF GENERAL SESSIONS (NO
SPECIFIC SMALL CLAIMS PROCEDURE)

最高上額：$15,000美元；在赦比縣和安德遜縣為$25,000美
元。對於追償私人財物，沒有訴訟金額限制。

訴訟地方：原告居住地、對於債務追償案件，如果被告不是本
縣居民，則在原告居住地訴訟、驅逐房客案件，在房
產所在地提出訴訟。

傳票送達方式：由警察送遞傳票，或以掛號信方式送遞傳票。

能否轉移法庭：在聽證會前開庭前至少3天，被告可要求轉庭
　　　　　　　至巡迴法庭。(必須提供宣誓證明，被告辯護理由眞
　　　　　　　實，案件複雜或索賠昂貴，有充足理由轉庭)。

能否由律師代表：可以由律師代表。

上訴程序：原告和被告雙方均可要求。在巡迴法庭重新審理。

是否審理驅逐房客事務：受理。

時效性限制：書面合約6年；口頭合約6年；人體傷害1年；財
　　　　　　　物損壞3年。

法院裁決的執行期限：本州裁決10年；在本州登記的外州裁決
　　　　　　　　　　　10年。

注意事項：田納西州沒有真正的小額訴訟系統，但法庭採取一
　　　　　些非正式的程序進行審理。

44. 德克薩斯州 TEXAS

網址：　http://www.tgcl.co.tom-green.tx.us/jp/small.html
　　　　　http://williamson-county.org/JP/faq.html

小 額 法 庭 名 稱：SMALL CLAIMS COURT　(JUSTICE
COURT)

最高上額：$5,000美元 。

訴訟地方：被告居住地，或過失行為發生地、合夥公司或協會
可在公司代表所在地被訴訟。

傳票送達方式：由警察送遞傳票，或法院書記官以信件方式寄
送傳票。

能否轉移法庭：根據地方法院法規規定，被告可提出書面動議
轉案審理。

能否由律師代表：可以由律師代表。

上訴程序：原告和被告在10天內均可提出。在地方法庭重新審
理。

是否審理驅逐房客事務：不受理。

陪審團審判：原告和被告均可提出要求。

時效性限制：書面合約4年；口頭合約4年；人體傷害2年；財
物損壞2年。

法院裁決的執行期限：本州裁決10年；在本州登記的外州裁決
10年。

注意事項：

　一、追債公司代理和放債人不能在小額法庭訴訟。

　二、如果被告被缺席裁決，或原告沒有出庭，必須在
　　　10天之內提出書面動議，說明未能如期出庭理
　　　由，若理由充足，可避免案件撤消或被缺席裁
　　　決。

45. 猶他州 UTAH

網址： http://courtlink.utcourts.gov/howto/smclaims.htm
小額法庭名稱： SMALL CLAIMS (CIRCUIT OR JUSTICE
　　　　COURT)

最高上額： $5,000美元 。
訴訟地方： 被告居住地、過失行為發生的地、合夥公司可以在
　　　　生意所在地或辦公室所在地被訴訟。
傳票送達方式： 由警察或與本案無關的成年人遞送傳票。
能否轉移法庭： 不能。
能否由律師代表： 可以由律師代表。
上訴程序： 原告和被告雙方均可在10天內書面提出上訴。巡迴
　　　　法庭將按照小額法庭程序審理，法庭審理記錄保存。
是否審理驅逐房客事務： 不受理。
陪審團審判： 原告和被告均可以要求陪審團審理此案。
時效性限制： 書面合約6年；口頭合約4年；人體傷害4年；財
　　　　物損壞3年。
法院裁決的執行期限： 本州裁決8年；在本州登記的外州裁決8
　　　　年。

注意事項：
　　一、被告必須在開審前至少兩天提出反訴。
　　二、追債公司代理不能在小額法庭訴訟。

46. 佛蒙特州 VERMONT

網址： http://www.vermontjudiciary.org/
小額法庭名稱：SMALL CLAIMS PROCEDURE
(DISTRICT COURT)

最高上額：$3,500美元 。
訴訟地方：原告和被告任何一方居住地、過失行為發生的地。
傳票送達方式：由警察或與本案無關的成年人 (在法庭的許可
　　　　　　　下) 遞送傳票。或者是以有簽收回執的掛號信寄送傳
　　　　　　　票。
能否轉移法庭：不能。
能否由律師代表：可以由律師代表。
上訴程序：原告和被告雙方均可在30天內書面提出上訴。在高
　　　　　等法庭審理。但上訴理由是所依據的法律條款有誤或
　　　　　法官解釋法律不當，不能以事實不符為上訴理由。
是否審理驅逐房客事務：不受理。
陪審團審判：被告可以要求陪審團審理此案。
時效性限制：書面合約6年；口頭合約6年；人體傷害3年；財
　　　　　　物損壞3年。
法院裁決的執行期限：本州裁決8年；在本州登記的外州裁決8
　　　　　　　　　　年。

注意事項：

一、被告必須在收到傳票20天內作出答覆，否則將被
　　缺席裁決。

二、反訴金額可以超過$3,500美元，但裁決的償還金
　　額最高為$3,500美元。

47. 維吉尼亞州 VIRGINIA

網址： http://www.courts.state.va.us/pamphlets/
small_claims.html

小額法庭名稱： 大城市： SMALL CLAIMS COURT
(DISTRICT COURT)

其他城市： REGULAR DISTRICT COURT

最高上額： $1,000美元 (小額法庭)

訴訟地方： 被告居住、工作或生意所在地、過失行為發生的
地、財產所在地。

傳票送達方式： 由警察或法庭許可的成年人遞送傳票。

能否轉移法庭： 可以。

能否由律師代表： 不能。

上訴程序： 原告和被告雙方均可在10天內提出上訴 (訴訟金額
至少超過$50美元)。在巡迴法庭重新審理。上訴時原

告和被告雙方均可以要求陪審團審理此案。

是否審理驅逐房客事務：受理。

陪審團審判：不受理。

時效性限制：書面合約5年；口頭合約3年；人體傷害2年；財物損壞5年。

法院裁決的執行期限：本州裁決20年；在本州登記的外州裁決10年。

48. 華盛頓州 WASHINGTON

網址： http://www.courts.wa.gov/selfhelp/smclaims.cfm

http://www.metrokc.gov/kcdc/smclhome.htm　　[King County]

小額法庭名稱： SMALL　CLAIMS　DEPARTMENT (DISTRICT COURT)

最高上額：$4,000美元。

訴訟地方：被告居住地、合夥公司生意所在地，或辦公室所在地。

傳票送達方式：由警察或與本案無關的成年人遞送傳票，或者以掛號信寄送傳票。

能否轉移法庭：在法官的同意下可以要求轉庭，需進行聽證。

能否由律師代表：必須有法官的同意，方可以由律師代表。案
件由一般地方法庭轉至小額法庭，可以由律師代表。

上訴程序：原告和被告雙方均可在30天內提出上訴 (訴訟金額
超過$250美元)。在高等法庭重新審理。原告或被告
任何一方若訴訟金額或反訴金額不超過$1,000美元，
不能要求上訴。

是否審理驅逐房客事務：受理。

陪審團審判：原告和被告雙方均有權要求上訴。

時效性限制：書面合約6年；口頭合約3年；人體傷害3年；財
物損壞3年。

法院裁決的執行期限：本州裁決10年；在本州登記的外州裁決
10年。

注意事項：

一、被告反訴金額超過$2,500美元，必須另行提出不
同於此案的訴訟。

二、只限於金錢糾紛案件。

49. 西維吉尼亞州 WEST VIRGINIA

網址： http://www.state.wv.us/wvsca/wvsystem.
htm#magistrate

小額法庭名稱：MAGISTRATE' S COURT

最高上額：$5,000美元。

訴訟地方：被告居住地或被告可被送遞傳票地、過失行為發生的地、對於西維吉尼亞州登記注?的合夥公司，公司總部所在地、其他州的的合夥公司，公司生意所在地、驅逐房客案件中，可在房產所在地訴訟。

傳票送達方式：由警察或與本案無關的成年人遞送傳票。

能否轉移法庭：如果原告和被告雙方同意，或雙方訴訟金額超過$300美元，可以轉庭至巡迴法庭。如果被告在適當時間內回復傳票並提出轉庭要求，法官可以同意轉庭。

能否由律師代表：可以由律師代表。

上訴程序：原告和被告雙方均可在20天內提出上訴。在巡迴法庭重新審理。如果案件最初由陪審團審理，可以上訴，但上訴理由是所依據的法律有誤或法官解釋法律不當，不能以事實不符為上訴理由。如果案件最初不是陪審團審理，上訴案件將被重新審理。(非陪審團審理此案)

是否審理驅逐房客事務：受理。

陪審團審判：如果訴訟金額超過$20美元，或案件牽涉到房產權問題，原告和被告雙方均可以要求陪審團審理此案。

時效性限制：書面合約10年；口頭合約5年；人體傷害2年；財

物損壞2年。

法院裁決的執行期限：本州裁決10年；在本州登記的外州裁決
10年。

注意事項：被告必須在20天內答覆傳票，否則將被缺席裁決。
在被告由律師代表情況下，可以延長至30天內做出回
復。驅逐房客的案件必須在5天內作出答覆。

50. 威斯康辛州 WISCONSIN

網址： http://www.courts.state.wi.us/circuit/pdf/
small_claims.pdf

小額法庭名稱：SMALL CLAIMS （CIRCUIT COURT）

最高上額：$5,000美元。驅逐房客案件沒有金額限制。

訴訟地方：被告居住或生意所在地、糾紛或過失行為發生地。

傳票送達方式：法庭書記官寄送傳票，必須有簽收回執。對於
驅逐房客案件，必須由專人送遞傳票。

能否轉移法庭：被告反訴金額超過$5,000美元，案件必須按照
一般民事法庭程序審理。

能否由律師代表：可以由律師代表。

上訴程序：原告和被告雙方均可在45天內提出上訴。在上訴法

庭審理，但上訴理由是所依據的法律條款有誤或法官解釋法律不當，不能以事實不符爲上訴理由。缺席裁決的案件不能上訴。驅逐房客的案件，必須在15天內提出上訴。

是否審理驅逐房客事務：受理。

陪審團審判：原告和被告雙方均可以要求陪審團審理此案。

時效性限制：書面合約6年；口頭合約6年；人體傷害3年；財物損壞5年。

法院裁決的執行期限：本州裁決20年；在本州登記的外州裁決20年。

注意事項：被告必須在裁決後20天內提出重新開庭要求。

51. 懷俄明州 WYOMING

網址： http://courts.state.wy.us/RULES/Rules%20and%20Forms%20Governing.html

小額法庭名稱：JUSTICE OF THE PEACE COURT OR CIRCUIT COURT

最高上額：$3,000美元 (小額法庭)。

訴訟地方：被告居住地，或被告可被送達傳票地、對於人體傷

害案件，可以在事故發生地、過失行為發生的地、對於在懷俄明州本州登記的合夥公司，公司總部所在地、其他州登記的的合夥公司，糾紛發生地或原告居住地。

傳票送達方式：由警察或法庭許可的成年人遞送傳票。

能否轉移法庭：可以轉庭。

能否由律師代表：可以由律師代表。在理由充分情況下，可以將案件延期，以便找到律師。

上訴程序：原告和被告雙方均可在收到裁決10天內提出上訴。在地方法庭重新審理。上訴理由是所依據的法律有誤或法官解釋法律不當，不能以事實不符為上訴理由。

是否審理驅逐房客事務：受理。

陪審團審判：原告和被告雙方均可以要求陪審團審理此案。

時效性限制：書面合約10年；口頭合約8年；人體傷害4年；財物損壞4年。

法院裁決的執行期限：本州裁決5年；在本州登記的外州裁決5年。

234

台北縣永和市保福路2段50號2樓

瀛舟出版社收

通訊處：

寄件人：

市　　　縣

　　鄉鎮
　　市區

路（街）　段　巷　弄　號　樓

請用阿拉伯數字
書寫郵遞區號
請用阿拉伯數字書寫郵遞區號

瀛舟叢書讀者服務卡

謝謝您購買這本書，為了提供更好的服務，敬請詳填本卡各欄後，寄回給我們 (請貼郵票)，您就成為本社貴賓讀者，將不定期收到本社出版品、各項講座及讀者活動等最新消息。

您購買的書名：＿＿＿＿＿＿＿＿＿＿＿＿＿＿＿＿＿＿＿＿＿

購買書店：＿＿＿＿＿ 市 / 縣 ＿＿＿＿＿＿ 書店

姓名：＿＿＿＿＿＿ 年齡：＿＿＿＿ 歲

性　　別：□男 □女　　婚姻狀況：□已婚 □單身

通信處：＿＿＿＿＿＿＿＿＿＿＿＿＿＿＿＿＿＿＿＿＿＿＿

電話：＿＿＿＿ 傳眞：＿＿＿＿ Email：＿＿＿＿＿＿＿＿

職　　業：　□製造業　　□資訊業　　□大眾傳播　　□公
　　　　　　□服務業　　□自由業　　□農漁牧業　　□教
　　　　　　□金融業　　□學生　　　□軍警　　　　□其他

教育程度：　□高中以下　□大專　　　□研究所

您習慣以何種方式購書？
　　　　　　□逛書店　　□劃撥郵購　□電話訂購
　　　　　　□傳眞訂購　□團體訂購　□銷售人員推薦
　　　　　　□其他 ＿＿＿＿＿＿

您從何處得知本書消息？
　　　　　　□逛書店　　□報紙廣告　□廣播節目　□書評
　　　　　　□親友介紹　□電視節目　□其他 ＿＿＿＿＿＿

建議：

瀛舟出版社

電話：(02) 29291317　傳眞：(02) 29291755
e-mail: enp_tw@yahoo.com.tw

（請沿虛線剪下）

法律叢書 02

美國小額法庭 DIY

American Small Claim Court - Do It Yourself Guide

作　　　者 ／ 鄧　洪　律師著
社　　　長 ／ 趙慧娟
總 編 輯 ／ 阮文宜
責 任 編 輯 ／ 許哲治
內 文 排 版 ／ 方學賢
法 律 顧 問 ／ 趙飛飛 律師
　　　　　　／ 鄧　洪 律師
出 版 發 行 ／ 美國瀛舟出版社（Enlighten Noah Publishing）
　　　　　　　地址：3521 Ryder Street, Santa Clara, CA 95051, USA.
　　　　　　　電話：1- 408-738-0468
　　　　　　　傳眞：1- 408-738-0668
　　　　　　　電子郵件：info@enpublishing.com
　　　　　　　台北瀛舟出版社
　　　　　　　地址：台北縣永和市保福路 2 段 50 號 2 樓
　　　　　　　電話：(02) 2929-1317
　　　　　　　傳眞：(02) 2929-1755
　　　　　　　郵撥：19573287
總 經 銷 ／ 時報文化出版企業有限公司
　　　　　　　地址：台北縣中和市連城路 134 巷 16 號
　　　　　　　電話：(02) 2306-6842
初 版 日 期 ／ 2003 年 6 月
國 際 書 碼 ／ ISBN 1-929400-87-X
定　　　價 ／ NTD400.00
登 記 證 ／ 北縣商聯甲字第 09001622 號
印　　　刷 ／ 世和印製企業有限公司